La pierre, la feuille et les ciseaux

Éditions J'ai Lu

HENRI TROYAT	ŒUVRES
La lumière des justes :	
I. LES COMPAGNONS DU COQUELICOT	*J'ai Lu*
II. LA BARYNIA	*J'ai Lu*
III. LA GLOIRE DES VAINCUS	*J'ai Lu*
IV. LES DAMES DE SIBÉRIE	*J'ai Lu*
V. SOPHIE OU LA FIN DES COMBATS	*J'ai Lu*
LA NEIGE EN DEUIL	*J'ai Lu*
LE GESTE D'ÈVE	*J'ai Lu*
LES AILES DU DIABLE	*J'ai Lu*
Les Eygletière :	
I. LES EYGLETIÈRE	*J'ai Lu*
II. LA FAIM DES LIONCEAUX	*J'ai Lu*
III. LA MALANDRE	*J'ai Lu*
Les héritiers de l'avenir :	
I. LE CAHIER	*J'ai Lu*
II. CENT UN COUPS DE CANON	*J'ai Lu*
III. L'ÉLÉPHANT BLANC	*J'ai Lu*
GRANDEUR NATURE	
L'ARAIGNE	
JUDITH MADRIER	
LE MORT SAISIT LE VIF	
LE SIGNE DU TAUREAU	
LA CLEF DE VOÛTE	
LA FOSSE COMMUNE	
LE JUGEMENT DE DIEU	
LA TÊTE SUR LES ÉPAULES	
L'ÉTRANGE DESTIN DE LERMONTOV	
POUCHKINE	
DE GRATTE-CIEL EN COCOTIER	
Tant que la terre durera :	
I. TANT QUE LA TERRE DURERA	
II. LE SAC ET LA CENDRE	
III. ÉTRANGERS SUR LA TERRE	
LA CASE DE L'ONCLE SAM	
UNE EXTRÊME AMITIÉ	
DOSTOÏEVSKI, *l'homme et son œuvre*	
SAINTE RUSSIE, Réflexions et souvenirs	
LES VIVANTS (théâtre)	
LA VIE QUOTIDIENNE EN RUSSIE AU TEMPS DU DERNIER TSAR	
NAISSANCE D'UNE DAUPHINE	
TOLSTOÏ	
GOGOL	
LA PIERRE, LA FEUILLE ET LES CISEAUX	*J'ai Lu*

En vente dans les meilleures librairies

HENRI TROYAT
de l'Académie française

La pierre, la feuille et les ciseaux

C'est un jeu très ancien, d'origine incertaine. On compte jusqu'à trois et, à ce moment, les deux joueurs, qui cachaient leur main droite derrière leur dos, la présentent dans un geste symbolique : le poing fermé comme une pierre, ou les doigts réunis et tendus à plat comme une feuille, ou l'index et le médius écartés comme des lames de ciseaux. La feuille gagne sur la pierre, puisqu'elle l'enveloppe, la pierre gagne sur les ciseaux, puisqu'elle les ébrèche, les ciseaux gagnent sur la feuille, puisqu'ils la coupent.

H. T.

PREMIÈRE PARTIE

1

Un peu plus et il passait sous les roues. Imperturbable, Marcel redressa la voiture. André se retourna pour voir. Le chien courait en zigzag entre les autos. Blanc tacheté de roux. Un genre d'épagneul.

— Il va se faire écraser! cria André. Arrêtez-vous, bon Dieu! Arrêtez-vous!

Marcel ralentit. La voiture se rangea contre le talus. Le chien courait toujours, de gauche et de droite, mi-affolé, mi-amusé. André ouvrit la portière et se précipita. Marcel le suivit. Ils se retrouvèrent au milieu d'un vignoble. Le chien les attendait, assis sur son derrière, la langue pendante, l'œil un peu fou. Quand ils s'approchèrent, il détala. C'était un jeu. Et qui finirait mal. André était en nage, le souffle entrecoupé.

— Il est tout jeune, ce chien, dit Marcel.

Il avait l'accent du Midi. Sans se concerter, ils repartirent en courant. Le chien jaillit hors du vignoble. Un peu plus loin, juste avant le grand carrefour, un jeune homme faisait de l'auto-stop. La bête arrivait droit dans ses jambes. Le jeune homme plongea. Comme un gardien de but. A plat ventre. Et le chien sous lui, comprimé, immobilisé, gémissant.

— Merde, dit-il, vous n'êtes pas fou de laisser filer votre chien comme ça ?

— Il n'est pas à moi, dit André en se rapprochant. C'est un chien perdu.

Il alluma une cigarette.

Le jeune homme dressait vers lui sa tête de silex, marquée d'un œil noir. Ses cheveux longs pendaient en travers de sa joue. Un gladiateur au sol. Et tout Rome sur les gradins.

— Alors qu'est-ce que je fais ? dit le jeune homme. Je le lâche?

— Ah! non! s'écria André. Pour qu'il retourne sur la route! Est-ce qu'il a une médaille?

Le jeune homme fouilla d'une main dans le pelage, autour du collier. Une plaquette ronde brilla entre ses doigts. Les autos filaient tout contre son épaule, le souffletant de leur vrombissement. Le sol poudreux sifflait sous le caoutchouc des pneus. Par centaines, par milliers. Eclairs horizontaux et bouffées de gaz d'échappement.

— Oui, dit le jeune homme. Mais pour lire ce qu'il y a dessus!... Attendez donc... « Les Tamar... » « Les Camar »... Je ne sais pas quoi... Aux « Quatre-Chemins »...

La voix était légèrement enrouée. Une vibration traversa André de la tête aux pieds, douce comme le souffle d'un enfant sur une jatte de lait.

— Les Quatre-Chemins, dit Marcel, mais nous y sommes! C'est le grand croisement, là, à cent mètres.

Le jeune homme avait dégrafé sa ceinture et la fixait au collier du chien à la façon d'une laisse. Il se mit debout. Son blue-jean tenait tout seul sur ses hanches plates. Sa chemise, ouverte jusqu'au nombril, découvrait une médaille d'argent sur un fond de peau brune. Marcel lui prit la ceinture des mains et marcha, tenant le chien à l'attache, vers le croisement.

— Eh là ! cria le jeune homme. Ma ceinture !

— Je vous la rapporte tout de suite, dit Marcel.

Il y eut un silence. Puis André questionna :

— Vous faisiez de l'auto-stop?

— Depuis plus d'une heure, grommela l'autre. Les gens ne sont pas croyables. Ils vous passeraient sur le ventre plutôt que de s'arrêter. Vous êtes en voiture, vous?

— Oui.

— Et vous allez où?

— A Fayence.

— Fayence! Fayence!... C'est pas dans la direction de Draguignan?...

— Si... je crois...

— Alors ça colle, dit le jeune homme en ramassant son sac de campeur.

Il monta dans la voiture. Assis avec lui à l'arrière, André se rencogna un peu. Marcel revint, en se fouettant la jambe avec la ceinture :

— C'est bien ce que je pensais. Il appartient à la villa « Les Tamaris ». Sa maîtresse m'a tout l'air d'une triste dingue. Pas un mot de remerciement!

La voiture démarra de biais. Le jeune homme boucla sa ceinture en se soulevant un peu sur son siège. André lui offrit une cigarette.

— Vous n'avez pas une blonde? dit le jeune homme.

— Non.

L'inconnu cueillit une Gitane dans le paquet à demi vide. Ses doigts étaient maigres et longs. Maintenant il fumait, la tête renversée, la pomme d'Adam proéminente, avec son sac de campeur entre les pieds. Le paysage n'en finissait pas de monter, de tourner. Marcel conduisait lentement. Ses grandes mains rudes, couleur de terre, serraient fortement le volant. André l'avait tout de suite reconnu, à l'aérodrome de Nice, d'après la description que lui en avait faite Gérard. Jardinier de Mme de Colignon, il était venu le chercher à sa descente d'avion. On venait de dépasser Grasse. La route se tortillait au soleil. Une dégringolade d'oliviers frémissants. Le jeune homme bâilla :

— Vous avez une carte de la région ?

Marcel lui tendit la carte par-dessus son épaule, sans se retourner. Le jeune homme l'ouvrit sur ses genoux. La pointe de son ongle rampa sur la feuille usée, aux marbrures vertes.

— C'est à Fayence même que vous allez? reprit-il.

— Non, un peu plus loin, dit Marcel.

— Alors laissez-moi sur la route de Draguignan, à l'embranchement de la route de Fayence. Je trouverai bien à rembarquer!

Tout à coup, ce fut la séparation. Le jeune homme au bord de la chaussée, son sac à terre, sa main tendue, son regard noir, sans gentillesse. Il dit merci d'un air de rancune moqueuse.

— Bonne chance, dit André.

Puis il ralluma une cigarette et fuma goulûment, tandis que, devant lui, la route se remettait à courir, zébrée d'ombre et de lumière.

Deux ouvriers malades, la semaine précédente! Et M. Gérard Lehoux qui avait changé d'avis pour l'emplacement des radiateurs! Et le dessin de la voussure qui avait été modifié au dernier moment! Comment ne pas prendre de retard dans ces conditions? André écoutait avec ennui les justifications des entrepreneurs. Depuis une heure que durait la réunion de chantier, il avait de plus en plus l'impression de jouer un personnage sans rapport avec sa vraie nature. Sa voix, détachée de lui, posait des questions, formulait des ordres. Inconsciemment, il imitait Gérard. Pauvre Gérard! Au lit depuis deux semaines. On ne se remet jamais tout à fait d'une crise cardiaque. André était content de lui rendre service en le remplaçant, sur le chantier. Pourtant il n'était pas à l'aise dans ce genre de décoration. Les questions d'architecture intérieure le dépassaient. S'il aimait jouer avec les tissus, assembler des couleurs, choisir des meubles, il se sentait perdu dès qu'il s'agissait du gros œuvre. D'ailleurs le glissement du rêve à la réalité était toujours pour lui une souffrance. Même quand il entreprenait un tableau. Pas mal, cette nature morte : bouquet de tulipes et guitare, qu'il avait abandonnée pour sauter dans l'avion. Quand il reviendrait, les tulipes seraient fanées. Entièrement à reprendre. Néanmoins il ne regrettait pas son voyage. Toute rupture dans le rythme de sa vie l'amusait. Ce matin à Paris, cet après-midi à Fayence, dans cet ancien relais de poste, retapé à grands frais pour Mme de Colignon. Encore trois mois de travaux.

Dans les pièces éclaboussées de plâtre, des échelles étaient dressées un peu partout. Un peintre rebouchait une lézarde en sifflotant. Un menuisier clouait une corniche et, entre deux coups de marteau, conversait avec son collègue, qui rabotait une porte posée sur des chevalets. L'accent méridional sonnait haut et clair sous les plafonds rayés de bandes blanches comme des pansements. Quand les hommes se taisaient, on entendait les cigales. Une chaleur sèche venait de l'extérieur comme d'un brasier. Par la fenêtre, André aperçut un arbre immense, couché de tout son poids, les racines emprisonnées dans un bac de planches. Des ouvriers le faisaient glisser, au moyen d'un treuil, vers le trou creusé en terre pour le recevoir. Marcel dirigeait la manœuvre. L'arbre avançait par saccades. Enfin il bascula, avec une lenteur majestueuse, dans son logement. On eût dit un géant endormi qui s'éveille soudain et se dresse sur ses pieds, de toute sa taille. Dans le ciel, là où naguère il n'y avait rien, s'imposa une houppe de feuillage. Un ouvrier coupa les cordes qui maintenaient les branches contre le tronc, et elles s'ouvrirent, telles de larges ailes funèbres. C'était un cèdre du Liban. Une plante superbe, déplacée au possible dans ce paysage d'oliviers et de cyprès. Perdu dans sa contemplation, André avait oublié les entrepreneurs. Ils prirent congé de lui, visiblement ravis que le délégué de M. Gérard Lehoux ne se fût pas montré plus intransigeant. Les ouvriers partirent à leur tour. André se retrouva seul avec le jardinier et sa femme. Marcel pestait contre le manque de main-d'œuvre. Il aurait eu besoin de deux ouvriers supplémentaires pour les plantations et ne trouvait personne de capable. Du reste il n'y avait que des étrangers dans son équipe : Espagnols, Portugais, Italiens... A croire qu'aucun Français ne voulait plus manier la bêche. C'était triste pour un pays. André l'approuvait en pensant à autre chose. La femme du jardinier lui avait dressé son lit dans la seule chambre aménagée de la maison. Voulait-il qu'on lui préparât à dîner? Il affirma qu'il préférait aller au restaurant, à Fayence. Marcel lui en indiqua un fameux et pas cher. Puis le jardinier et sa femme se retirèrent dans le pavillon qu'ils habitaient à l'entrée de la propriété.

Resté seul, André retourna dans les grandes pièces, où flottait la réverbération verdâtre des feuillages. Le cèdre du Liban se détachait, tel un intrus somptueux, sur un fond d'oliviers robustes. André le regardait avec un mélange de sympathie et de consternation. On avait débarrassé ses racines de leur corset de planches. On avait tassé la terre autour de son fût. Il allait passer sa première nuit près de la maison. Les oliviers finiraient-ils par s'habituer à ce trop élégant voisinage? André en doutait. Il s'écarta de la fenêtre. Les murs blancs le reprirent dans leur fraîcheur. Son pas résonnait dans les salles désertes comme dans un sépulcre. Quel réservoir de fantômes qu'une demeure abandonnée! Enfant, il aurait couru se réfugier dans sa chambre. Ses grandes peurs de jadis. Serré dans les bras de sa sœur Coriandre. Souffle à souffle. Et la formule magique qu'on chuchotait en se couvrant la tête avec un pan de rideau : « Que tout craque sauf ma baraque, que tout sombre sauf mon ombre! » Qui leur avait appris ces mots? Leur mère, peut-être. Elle était assez étrange pour cela. Quand il pensait à elle, il voyait — Dieu sait pourquoi? — une aigrette sur un chapeau. Même morte, elle plaisantait. La maison, autour de lui, devenait de plus en plus vaste. Des pièces invisibles s'ajoutaient à celles qu'il avait sous les yeux. Mais peut-être était-ce lui qui rapetissait? Il sortit dans le jardin. Herbe sèche et cailloux, entre de vieux troncs ridés. Il eût fait bon courir avec Coriandre dans cette nature retournée à l'état sauvage. Comme autrefois, lorsqu'ils jouaient à « l'équipage du prince », dans un square. C'était lui qui, jadis, l'avait baptisée « Coriandre », alors qu'elle s'appelait en réalité Alice. Curieuse manie de donner des surnoms aux êtres qu'il aimait. Courir avec elle. Mais on ne court plus guère, à trente-cinq ans. Sauf pour rattraper un chien perdu. Encore, aux premiers pas, le souffle vous manque-t-il. Les poumons encrassés, un petit ventre. Dès son retour à Paris, il se remettrait au régime. Grillades et légumes cuits à l'eau. Plus d'alcool. En un mois, il aurait retrouvé son poids idéal. Pour l'instant, sa ceinture le serrait. Un bourrelet au-dessus, un bourrelet au-dessous. Horrible!

La propriété était à dix minutes à pied de Fayence. En pénétrant dans le village, André tomba d'emblée sur le café-tabac-restaurant dont lui avait parlé Marcel. Quelques tables sur le trottoir, occupées par des consommateurs en manches de chemise. Gens du pays et estivants se désaltéraient coude à coude. Dans un coin de la terrasse, des gamins jouaient au baby-foot. Ils riaient et donnaient des coups de poing dans l'appareil. Brusquement tous ces visages s'effacèrent autour d'un seul.

— Comment êtes-vous ici? dit André en s'approchant d'une table.

— Tout ce que j'ai trouvé, c'est un camionneur qui faisait une livraison à Fayence et dans deux ou trois patelins des environs, dit le jeune homme. De là, il doit repartir pour Draguignan. Ça fait une heure et demie que je l'attends dans ce bistrot! Ah! la, la!... J'en ai ras le bol!

Affalé sur sa chaise, il tournait un verre vide entre ses doigts.

— Et vous, dit-il encore, qu'est-ce que vous foutez dans ce bled?

— Je surveille un chantier.

— Vous êtes entrepreneur?

— Non, dit André. Décorateur... enfin je remplace un ami décorateur qui n'a pas pu venir.

— Y a pas du travail pour moi, sur votre chantier?

— Je croyais que vous deviez partir ce soir pour Draguignan!

— Je ne dois rien du tout. Je vais où ça me plaît, quand ça me plaît. Aujourd'hui ici, demain ailleurs...

André se rappela que le jardinier cherchait de la main-d'œuvre pour ses plantations. La tentation fut si forte, qu'une vague de chaleur lui enflamma les oreilles.

— Alors, reprit le jeune homme, vous ne verriez pas quelque chose pour moi? J'ai besoin d'argent.

Il attendait la réponse, les lèvres entrouvertes sur des dents de loup. Une dispute s'éleva autour du baby-foot. Puis il y eut des éclats de rire. André pensa à des « complications » possibles dans sa vie. Il était si tranquille, depuis quelque temps!

— Non, dit-il, je ne vois rien.

Et il éprouva aussitôt une tristesse sage.

— Tant pis, dit l'autre.

André entra dans le bistrot et se dirigea vers une table couverte d'une nappe en papier gaufré. C'était le coin réservé au restaurant.

Un ventilateur ronflait en pivotant sur son axe. Mais ce brassage d'air ne suffisait pas à chasser l'odeur d'ail qui filtrait de la cuisine. De sa place, André pouvait voir, par la porte ouverte, le jeune homme devant son verre vide. A deux reprises, leurs regards se croisèrent. Puis le jeune homme se leva et pénétra dans la salle, d'un pas lent. Ce grand corps dressé devant la table, avec le bombement arrogant de la braguette, et, plus haut, la chemise ouverte sur un estuaire de peau brune.

— Tu m'offres à dîner? demanda-t-il.

— Si tu veux, dit André. Assieds-toi.

Le jeune homme attira une chaise et s'assit, les jambes croisées, le buste mollement renversé sur le dossier. Le serveur accourut pour prendre la commande. Deux « menus » et une carafe de rosé.

— Tu t'appelles comment? dit le jeune homme.

— André. Et toi?

— Frédéric.

Il y eut un silence.

— T'as toujours pas de blondes? dit Frédéric au bout d'un moment.

— Non. Lesquelles préfères-tu?

— Les « Winston ».

André alla acheter un paquet de « Winston » à la caisse et le posa sur la table. Frédéric se servit et empocha le paquet. Il fumait, sans quitter André des yeux.

— C'est grand, là où tu travailles en ce moment? dit-il enfin.

— Soixante hectares, dit André.

Puis il se ravisa :

— Ou plutôt six... oui, six hectares..., je crois...

Il n'avait aucune notion des chiffres. Six hectares, soixante hectares, c'était tout comme pour lui. Une gêne lui vint de son inconséquence, devant ce garçon au regard noir, ironique. Le serveur apporta deux salades niçoises. Frédéric se pencha sur son assiette. Il mangeait voracement, mais sans vulgarité. Ses gestes étaient d'une étonnante souplesse. En attaquant le steack, il demanda :

— Et à part ça, tu fais quoi dans la vie?

— Je peins, dit André.

— Tu habites Paris?

— Oui. Et toi?

— Moi, j'habite partout et nulle part. A Paris, tu vas souvent dans des boîtes?

— Ça m'arrive.

— Au « Two Brothers »?

— Non, au « Tilt ».

— Tu trouves ça mieux?

André haussa une épaule et ne répondit pas.

— Tu as beaucoup de copains? reprit Frédéric.

— Pas mal.

— Moi, non.

— Tu n'es pas liant? dit André avec un sourire.

— Si. Mais, très vite, les gens me cassent les pieds. J'aime pas qu'on me conditionne.

Il eut un rire serré, méchant, et se remit à manger. André n'avait plus faim. Une boule sur l'estomac. C'était cette odeur d'ail qui l'incommodait.

— Quel âge as-tu? dit-il.
— Vingt-deux ans.

Frédéric but un grand verre de vin et ne s'essuya pas la bouche. Sa lèvre inférieure brillait, comme vernie. Le serveur apporta le fromage, des fruits et des gâteaux secs. De brefs appels de klaxon retentirent. Frédéric jeta un regard par la porte.

— Cette fois, c'est lui, grommela-t-il. Pas trop tôt!

Il se mit debout, sans se presser, enfourna tout le morceau de fromage dans sa bouche, prit deux gâteaux secs d'une main, se toucha la tempe de l'autre et dit, les joues pleines :

— Ciao.

L'instant d'après, comme paralysé par un charme, André vit Frédéric ramasser son sac de campeur sur la terrasse et monter dans un camion jaune. Une détente de singe. La portière de tôle claqua net. Le camion partit. Le bruit du restaurant augmenta. Et la chaleur. Et l'odeur de cuisine. André demanda l'addition. Dans son portefeuille, l'argent que Gérard lui avait donné pour le voyage et les frais de séjour. C'était calculé largement. Fallait-il laisser un pourboire? Et combien? Torture habituelle. Il paya, abandonna, à tout hasard, cinq francs dans la soucoupe et alluma une cigarette. Dehors, un crépuscule cendreux l'enveloppa. La solitude lui était douce. Il ne regrettait pas de l'avoir préservée. Son pas, sur la route, était le meilleur compagnon.

Lorsqu'il arriva à la propriété, les oliviers, dans le soir, confondaient leurs feuillages en une vapeur d'argent. Dans ce nuage floconneux, se dressaient, çà et là, les épées noires des cyprès. Parmi eux, le cèdre du Liban, insolite, seigneurial. Demain on planterait d'autres arbres. Les ouvriers reviendraient dans la maison. Il faudrait téléphoner à Gérard pour le mettre au courant de l'avancement des travaux. Il aurait même dû lui téléphoner aujourd'hui. Cela lui était sorti de la tête. Du reste il était sûrement difficile d'appeler Paris d'un si petit village. Il expliquerait qu'il avait essayé, en vain, plus de quinze fois... Pour ce qu'il avait à dire!... Il s'étonnait de l'importance que la plupart des gens attachaient aux menues contrariétés de leur vie. A quoi bon se torturer l'esprit pour des questions subsidiaires, puisque tout finissait toujours par s'arranger d'une façon ou d'une autre? L'essentiel était de ne jamais sacrifier un rêve agréable à une réalité déplaisante. L'électricité n'avait pas encore été installée dans les chambres. André se déshabilla et se coucha à la lueur d'une lampe à pétrole. Reporté à un siècle en arrière, il regardait, sur les murs, l'ombre ancienne des objets. Il y avait des chevaux à l'écurie, des diligences sur les routes, des vapeurs à roues sur les mers, des rois un peu partout et l'on cachetait ses lettres avec de la cire rouge.

2

André ralentit le pas. Un point de côté lui coupait le souffle. Mais il ne voulait pas s'arrêter. Pour que Louise lui eût téléphoné en pleine nuit, il fallait que Gérard fût au plus mal. Une rechute. C'était à prévoir. Son moral avait encore baissé en quelques semaines. Il ne luttait plus pour vivre, il négligeait ses affaires, il refusait les médicaments. Un véritable enfant à son premier chagrin. Et il avait passé la soixantaine. André ne savait plus que lui dire pour le remonter. Le sentiment de son impuissance devant le désarroi d'un ami le tourmentait comme un remords. Pas un jour de détente, depuis son retour du Midi. De nouveau il pressa le pas, craignant de perdre une minute. Au fait, il aurait dû prendre un taxi : il n'y pensait jamais. Maintenant, ce n'était plus la peine. Il avait déjà fait la moitié du chemin. Trois heures du matin. La rue Saint-Honoré étirait à perte de vue le pointillé blafard de ses réverbères. Au-dessus, dormaient des étages de fenêtres obscures. Au-dessous, luisaient les capots des voitures abandonnées le long des trottoirs. De rares autos roulaient sur la chaussée couleur d'éléphant. Quelques passants furtifs traînaient leur ombre le long des murs. Soudain la place du Palais-Royal éclata, vivante, avec les diamants de ses mille lumières. André s'engagea dans la rue Montpensier, sonna à une porte cochère, monta deux étages, sonna encore. Par l'entrebâillement, apparut un visage effaré, où tout était rond, le nez, les yeux, le menton, la bouche.

— Le docteur vient juste de partir, dit Louise en ouvrant. Il lui a fait une piqûre. Il lui a recommandé de garder le lit. Il lui a dit...

Elle reniflait entre les phrases et poussait doucement André, par les épaules, vers la chambre. Dans la lumière d'une lampe de chevet, le buste soutenu par des oreillers, le nez pincé, la joue creuse, Gérard reposait, en pyjama de soie blanche. Sa fine moustache épousait la crispation de ses lèvres. Sans ouvrir les yeux, il murmura :

— Merci d'être venu, mon petit... J'ai bien cru que je passais... Une telle angoisse!... Et une barre en travers de la poitrine... Maintenant ça va mieux...

— Ça va mieux, ça va mieux! grommela Louise. Pas tant que ça!

Et, prenant André à part, elle chuchota :

— Il ne veut pas rester seul, cette nuit.

— Mais il n'en est pas question, dit André. Je vais m'installer près de lui.

Il avait l'habitude : lors de la première crise de Gérard, au mois de mai, il l'avait veillé trois nuits de suite.

— Qu'est-ce que vous complotez tous les deux? dit Gérard. Je n'ai plus besoin de toi, Louise. Va te coucher.

— C'est ça, grogna Louise. Vous me renvoyez comme un chien. Tout à l'heure, vous n'étiez pas si fier!

— Tu me fatigues, dit Gérard.

Les bras le long du corps, la tête renversée, il parut s'abandonner au mouvement d'un fleuve. Cette misère physique contrastait étrangement avec la richesse des draperies jaunes à la tête du lit, la finesse de deux guéridons Louis XVI, la grâce d'une commode marquetée, dont les bronzes luisaient dans la pénombre. Chaque meuble, ici, avait un grand prix et une belle histoire. Pouvait-on dormir, manger, aimer, souffrir dans un musée?

André referma la porte sur Louise qui bougonnait. Comme il revenait vers le lit, Gérard dit dans un souffle :

— Vous savez, hier soir, elle m'a téléphoné... Elle est à Londres, avec lui... Elle ne veut pas revenir... Huit jours sans nouvelles... Mais qu'ont-ils donc dans la peau, les jeunes?... Un cœur sec, des nerfs d'acier... Je suis sûr que Sabine était au courant... Et elle ne m'a pas prévenu, la petite garce!... Elle m'a laissé me débattre dans l'incertitude... Vous-même, André, vous deviez savoir...

— Je vous jure que non.

— Sabine ne vous a pas dit?...

— Je ne l'ai pas vue depuis deux semaines.

Calmez-vous, Gérard. Il faut absolument que vous vous reposiez.

— Vous avez raison. D'ailleurs je ne suis plus bon à autre chose. Ne plus me réveiller. Crever doucement, sans souffrir, si possible...

Une grimace déforma ce visage fin et fripé. Des larmes coulèrent sur ses joues. André, bouleversé, se pencha sur Gérard et lui essuya les yeux avec son mouchoir, en marmonnant :

— Eh bien! Eh bien! C'est stupide!... Elle a agi sur un coup de tête... Elle se reprendra...

— Non, dit Gérard.

André se promit d'avoir une conversation avec Sabine, dès le lendemain, pour tâcher d'en apprendre davantage. Amie intime de Claudia, elle devait, à coup sûr, être dans le secret. Ce n'était pas la première fois que Claudia quittait Gérard. Elle était si jeune! Il l'avait trop gâtée. Gérard s'assoupit, terrassé tout ensemble par le chagrin et par la drogue. Ayant délacé ses chaussures et dénoué sa cravate, André se pelotonna dans un fauteuil, au chevet du lit, et tira une couverture de fourrure sur ses jambes. Au bout de quelques minutes, Gérard s'agita de nouveau :

— J'ai oublié... Demain, à seize heures, j'ai une réunion de chantier, rue de Varenne. Cher André, il faut absolument que vous y alliez à ma place...

Le café exhalait un arôme âcre et onctueux qui disposait à l'optimisme. La brioche, tiède encore, fondait dans la bouche. André coiffait chaque morceau d'une capuche de beurre. Tant pis pour la ligne. La nuit, dans le fauteuil, n'avait pas été trop mauvaise. Rasé, douché, il ne sentait aucune courbature. Gérard lui-même avait meilleure mine, ce matin. Le docteur, qui était venu très tôt, avait rassuré tout le monde. Un malaise, sans gravité réelle. Repos, régime, suppression du tabac et de l'alcool... Le téléphone sonnait toutes les cinq minutes et Louise répondait, avec importance. Elle donnait, à voix basse, des nouvelles de Monsieur à tout Paris. André finit la brioche et alluma une cigarette. Béatitude, l'estomac plein, dans un petit salon Directoire. Un rayon de soleil perçait la soie nacrée des rideaux. Belle journée pour faire des courses avec Sabine. Elle l'attendait, à dix heures et demie, dans un bar proche de l'Etoile. Une fois de plus, il serait en retard. Quand il annonça qu'il devait partir, Gérard ne manifesta aucune irritation et se contenta de lui demander où il allait. Pour ne pas agiter inutilement le malade, André dit qu'il avait rendez-vous avec sa sœur.

Sabine habitait Feucherolles, près de Versailles, avec son beau-père, « pépiniériste-horticulteur », mais venait presque tous les jours à Paris, en voiture. André la retrouva, comme convenu, dans un petit bar de la rue Arsène-Houssaye. Elle l'attendait depuis trente-cinq minutes.

— J'allais partir, dit-elle.

— Pourquoi? C'était bien à dix heures et demie...

— Non, à dix heures.

— Tu es sûre?

Il fouilla dans sa poche et en tira un emballage de Gitanes, au dos duquel il inscrivait ses rendez-vous. Les notes au crayon couraient en tous sens, grisâtres, illisibles. Jamais il n'avait pu se résoudre à utiliser un agenda.

— J'avais pourtant marqué..., dit-il sans conviction.

Et il remit le bout de carton en poche.

— On y va? dit-elle.

La voiture de Sabine était si petite, qu'il dut se casser en deux pour y entrer. Le ventre comprimé, les épaules serrées, il rabattit sur lui la portière. C'était une auto de marque anglaise. Il ne savait plus laquelle, bien que Sabine le lui eût dit cent fois. D'ailleurs cela n'avait aucune importance. Pour lui, tous ces engins à quatre roues se valaient. Elle mit le moteur en marche et débloqua le frein avec assurance. Il l'admirait de savoir conduire, lui qui n'avait jamais touché un volant.

— Où allons-nous? demanda-t-il.

— Pour commencer, rue du Colisée, chez le docteur, dit-elle. J'ai pris rendez-vous et, à cause de toi, je suis en retard.

— Tu es malade?

— Non. Mais je crois que je suis enceinte.

Il la regarda avec une surprise amusée :

— Ce que t'es gourde! C'est pas pensable! Comment t'es-tu débrouillée?... C'est Paul?

— Evidemment.

— Tu vas l'épouser?

— Il n'en est pas question.

— Tu l'aimes bien, pourtant, Paul...

— Pour passer une soirée, oui. Mais toute une vie, tu te rends compte?

Sabine fronçait les sourcils en conduisant. André aimait le dessin de ce profil un peu écrasé, au nez court, aux lèvres épaisses et à l'œil d'olive noire ombragé par des cils raidis de cosmétique. Le cou était long, la mâchoire forte. Avec ses épaules droites, sa poitrine à peine renflée et ses hanches plates, Sabine ressemblait à un jeune garçon insuffisamment musclé. Soudain la voiture se rangea contre le trottoir, sous un panneau d'interdiction de stationner.

— Tu m'attends là! dit Sabine.

Assis, seul, à côté du volant, André contemplait les multiples cadrans du tableau de bord et s'affligeait de son incompétence. Aiguilles, chiffres, manettes, boutons... Comment se faisait-il qu'il fût à ce point hostile à la mécanique? Il pensa au tableau inachevé qui l'attendait chez lui : une guitare au manche cassé, et, dans l'embrasure d'une fenêtre, un visage d'adolescent, cheveux au vent, bouche ouverte sur un cri d'horreur. Le tout dans des tonalités grises, bleues et vertes. Comme dans un rêve qu'il avait fait le mois précédent. « Qu'est-ce que je fous dans cette voiture trop petite? » L'envie le saisit de retourner, vite, à sa toile. Ses doigts avait hâte de se refermer sur le manche d'un pinceau. Tous ces petits volcans de couleur, alignés sur sa palette...

— Ouf! C'est non! dit Sabine.

Ses dents blanches luisaient dans son visage de Péruvienne. Il était si loin d'elle, que, l'espace d'une seconde, il se demanda de quoi elle voulait parler. Puis il se réjouit avec elle. Sabine allait pouvoir continuer à coucher avec Paul. Ou avec un autre. Pour le seul plaisir.

— Je suis rudement contente! s'écria-t-elle. Tu ne peux pas savoir! On déjeune ensemble?

Comment résister à la sollicitation d'une amitié sincère? Déjà André ne pensait plus au tableau mais à la joie de Sabine. Sa propre vie lui en semblait éclairée. Elle voulait voir des magasins.

Il se passionna avec elle pour le choix d'une robe. Elle en essaya quinze dans une boutique de la Rive gauche. Une vendeuse trop blonde, aux boucles d'oreilles géométriques de très mauvais goût, tirait le rideau de la cabine, le rouvrait, le tirait encore. Il était là, comme au spectacle. Ces modèles qui lui passaient sous le nez, il avait envie de les palper, de les froisser. Toutes les cinq minutes, c'était une autre femme qu'il avait devant les yeux. En pain brûlé, en vert Nil, en jaune moutarde, en champagne. Chaque fois un peu plus décoiffée. Des filles allaient, venaient, les bras chargés, la démarche traînante, l'œil vague. Il gênait dans le passage. Sabine le fit entrer dans son réduit. Maintenant elle se déshabillait et se rhabillait devant lui. Elle ne portait pas de soutien-gorge. A plusieurs reprises, il aperçut, dans la glace, ses seins bruns et menus aux pointes dardées. Quand elle levait les bras, on voyait saillir ses côtes sous la peau. Elle penchait pour une robe en lainage marron, au corsage garni d'incrustations en losange. Il préférait une robe bleue, toute simple, toute droite, « style chemisier ». Elle finit par se laisser convaincre. Il en fut touché, comme s'il eût reçu d'elle un cadeau. De nouveau la rue, la petite voiture, les encombrements, les grandes portes vitrées que l'on pousse sur une bouffée de parfum. Dans une pénombre de caverne, les mains allaient toutes seules vers le bric-à-brac scintillant des étalages. Ils firent quatre boutiques avant de découvrir le collier fantaisie dont rêvait Sabine : argent ciselé et ambre roux. André fut tenté d'en acheter un pour lui-même. Mais il était à court d'argent. Sabine, de son côté, se déclara « raide » après cette dernière acquisition.

Ils échouèrent, à trois heures de l'après-midi, dans une pizzeria. A peine André eut-il avalé un *calzone* et bu un verre de vin, qu'il se sentit la tête lourde. Il bâilla en se renversant sur le dossier de la banquette.

— Qu'est-ce que tu as? demanda Sabine.

— J'ai passé la nuit chez Gérard, dit André.

Et il raconta en détail l'indisposition de son ami. Sabine s'inquiéta, en bonne camarade. André lui déconseilla de rendre visite au malade avant quelques jours :

— Il est très monté contre toi, à cause de Claudia... Il est persuadé que tu étais de mèche avec elle... Il trouve que tu aurais dû...

Aussitôt Sabine changea de visage. Sa compassion se muait en fureur.

— Quoi? Quoi? J'aurais dû!... s'écria-t-elle. Claudia est une amie. Et, si tu veux mon avis, je trouve qu'elle a eu raison de plaquer Gérard. Il est ennuyeux, suffisant, égoïste. Es-tu déjà sorti une fois avec lui sans qu'il te gâche ton plaisir en critiquant tout ce qui l'entoure? Avec ça, il a trente-cinq ans de plus que Claudia! Ça compte, non? dans un ménage!

— Bien sûr, dit André évasivement. Mais qu'est-ce que c'est que ce Philippe avec qui elle s'est barrée?

— Un garçon très sympa. Elle est heureuse avec lui. A tous les points de vue, tu saisis?

— Mais pour Gérard, c'est terrible!...

— Gérard! Gérard! Tu ne penses qu'à lui dans cette aventure. Un monstre, ton Gérard! Il n'y a que Louise et toi pour le supporter!

Tout en reconnaissant que Sabine avait raison sur bien des points, André ne pouvait la suivre dans sa hargne. L'amitié qu'elle portait à Claudia, ou peut-être une inconsciente complicité féminine, la rendait injuste envers Gérard. Tous les défauts qu'elle dénonçait en lui n'empêchaient pas qu'il fût à plaindre. Malade, trahi, désarmé, peu importait qu'il eût été hier le bourreau, puisqu'il était aujourd'hui la victime. Quelle férocité, de part et d'autre, dans cette folle chasse à l'amour! Sexe et ongles. Chacun pour soi. Pas de pitié pour les vaincus. Il se passait trop de choses, en même temps, dans le monde. Un vertige saisit André, comme s'il eût été souffleté par un tourbillon. Le sol tremblait sous ses pieds, tandis qu'autour de lui se déroulait la galopade des couples. Il but encore un verre de vin et alluma une cigarette. Un dessert? Non, par sagesse, mais un *expresso*, épais et noir, avec deux morceaux de sucre. Il le dégusta à petites gorgées en écoutant Sabine, qui, maintenant, ne parlait plus de Claudia et de Gérard, mais d'elle-même et de Paul. Elle ne l'avait jamais aimé. Une simple attirance physique. Mais elle n'avait pas l'intention de le quitter. Du moins pas encore. Lui ou un autre... André le connaissait mal. Pourtant il approuvait Sabine de garder la tête froide. Elle avait un autre problème : le mois précédent, elle s'était disputée avec la gérante du magasin de couture où elle travaillait comme vendeuse et était partie avec éclat. Depuis, elle cherchait en vain une place.

— Tu me fais marrer, dit André. Ne dirait-on pas que c'est pour toi une question de vie ou de mort? Tu ne risques rien, avec ton beau-père...

Elle s'indigna. A aucun prix, elle ne voulait continuer à être entretenue par son beau-père, qu'elle appelait de préférence « Maurice ». Il l'avait mise en pension dès l'âge de dix ans, à la mort de sa mère, l'en avait retirée à quinze, et l'avait élevée ensuite, vaille que vaille, par obligation, avec une profonde indifférence. Maintenant, il vivait avec une femme de trente ans, Germaine, qu'il avait fini par installer à la maison et qu'il épouserait un jour ou l'autre. De toute évidence, la présence de Sabine les gênait. Elle-même n'avait qu'une envie : être indépendante. Dès qu'elle aurait trouvé du travail, elle « mettrait les voiles ».

— Oui, oui, disait André mollement. Je te comprends.

La salle se vidait. Une cigarette allumait

l'autre. Encore un *expresso*. Il avait tout son temps. Soudain il se rappela qu'il avait promis à Gérard de passer rue de Varenne. Quatre heures vingt. Déjà! Sabine le conduisit en voiture. Dix minutes plus tard, il était avec elle sur les lieux. La cigarette aux lèvres et l'œil compétent, il fit le tour du chantier, échangea quelques mots avec les entrepreneurs, prit des notes sur l'emballage de Gitanes qui lui servait de pense-bête, et se retira, entouré de la considération unanime.

— Je ne savais pas que tu étais un tel comédien! dit Sabine. Tu arriveras, mon petit! Tu arriveras! Et à part ça, qu'est-ce que tu fais?

Il lui parla de son tableau en cours. Elle voulut le voir. Immédiatement. La petite voiture les emporta, par saccades, à travers les embouteillages, vers la rue Saint-Honoré.

Chaque fois qu'il rentrait chez lui, André éprouvait un sentiment de bien-être et de mélancolie. C'était, disait-on, à une fenêtre de cette maison que s'était installé le peintre David pour tracer, d'un crayon impitoyable, le portrait de Marie-Antoinette, conduite à l'échafaud. Malgré un ravalement récent, la bâtisse craquait de partout. Un porche voûté menait à une courette que bordaient, sur trois côtés, des appentis aux toits de tôle. L'escalier raide et sombre s'accrochait à une muraille profondément fissurée. Mais les marches étaient propres, la rampe en fer forgé s'élevait d'un souple mouvement dans les airs. Deux appartements par étage. Et les cabinets communs, sur le palier. André habitait tout en haut, au cinquième : une entrée minuscule et deux pièces communicantes.

— Mais... tu as changé la place des meubles! s'écria Sabine.

— Oui, avant-hier, dit-il. J'en avais assez. J'ai tout bougé.

Il contemplait son œuvre avec satisfaction. Dans cet intérieur, tendu d'un velours de coton tabac d'Espagne, le grand divan, à demi enfoncé dans une alcôve et encombré de coussins multicolores, la table basse en laque noire écaillée, les poufs avachis, le secrétaire peint, la cithare sans cordes, tout avait un visage neuf.

— Tu aimes? reprit-il.

— Formidable, dit Sabine. C'est chaud, c'est chouette, c'est vraiment toi! Alors, ce tableau?

Il alla le chercher dans la seconde pièce, minuscule, qui lui servait d'atelier. Trois marches à monter et un plafond bas qui vous forçait à courber la tête. Quand il revint avec le tableau, Sabine s'assit sur le divan et prit une expression concentrée. Il appuya le châssis contre le secrétaire. Les lampes aux abat-jour de gros tissu éclairaient à peine. Il en inclina une de façon à diriger toute la lumière sur la toile. Les taches de couleur bondirent à sa rencontre. Il soutint le choc et une froide déception l'envahit. Comment avait-il pu se tromper à ce point? Le dessin était mou, les couleurs, conventionnelles, le mystère, plus littéraire que pictural.

— C'est sublime! dit Sabine.

— Non, dit-il. C'est de la merde.

Et il tourna le tableau contre le mur.

— Ça y est! Je sens que tu vas encore le détruire!

— Je vais le retravailler.

— C'est Constantin qui t'a servi de modèle pour le garçon?

— Non.

— Qui, alors?

— Personne.

— Pourtant ça ressemble à Constantin.

— Je ne trouve pas du tout. Constantin est plus râblé, plus ramassé...

— Tu le peins malgré toi, c'est ton subconscient qui parle, dit Sabine avec une emphase ironique. Il habite toujours chez toi?

— Où veux-tu qu'il aille? Il n'est pas bien encombrant!

— C'est vrai : il est même mignon, dans son genre. Trop mignon. C'est peut-être ce que je lui reproche le plus!

— Moi aussi.

— En tout cas, le tableau, à ta place, je n'y changerais rien; je le terminerais; je te dis qu'il est sensationnel...

Il se pencha vers elle et l'embrassa sur les deux joues. Elle avait une peau très douce.

— Tu es gentille. Veux-tu une tasse de thé?

Il passa dans le réduit qui lui servait de cuisine et mit de l'eau à bouillir sur le réchaud. Brusquement une envie de gâteaux lui emplit la bouche. Sans rien dire à Sabine, il dégringola l'escalier, entra dans une pâtisserie, acheta deux mille-feuilles, deux tartelettes aux cerises et remonta, essoufflé et radieux.

— Tu es fou! dit-elle. Je n'avais pas faim!

Mais elle se jeta sur un mille-feuilles, avant même que le thé ne fût servi. Il posa son veston et enfila une gandoura dont Gérard lui avait fait cadeau, en tissu écru, avec des broderies or et corail. La glace murale lui renvoya l'image d'un prince arabe un peu bedonnant, aux longs cheveux. Il faisait les honneurs de sa tente à une captive de marque. Elle s'assit sur des coussins, à côté de lui, pour prendre le thé. Dehors s'étalait un désert de sable gris. Des chameaux étaient agenouillés à l'ombre de trois palmiers poudreux. Après la dernière tasse, Sabine proposa une partie de « scrabble ». Ils jouèrent avec une frénésie contenue, chacun contestant les mots composés par l'adversaire à l'aide des lettres tirées du tas. Tricheuse dans l'âme, Sabine affichait avec autorité des vocables étranges, tels que « froux » ou « briche », et soutenait qu'ils figuraient dans tous les dictionnaires. Comme André ne savait plus où il avait fourré le sien, il lui était impossible de vérifier l'exactitude de ces dires. Du reste pas plus qu'elle il n'était sûr de son orthographe. Cette incertitude ajoutait au charme de la compétition.

— Une jetée, ça prend un « t » ou deux « t »? demandait-il.

— Deux, tranchait Sabine.

— Je les ai!

Sur la table basse, se développait une architecture de mots croisés, probablement criblés de fautes, mais solidement accrochés les uns aux autres. Sabine posa les dernières lettres et annonça triomphalement :

— Cluge.

— Qu'est-ce que ça veut dire?

— C'est un genre de mésange. Tu ne connais pas? Une cluge, une petite cluge...

Elle mentait, il en était sûr. Mais cette cluge le transportait dans un rêve. De bonne grâce, il reconnut sa défaite. Aussitôt ils entamèrent la revanche. Au plus chaud de l'empoignade, le téléphone sonna. C'était Louise qui appelait, de la part de Monsieur.

— Je viens à peine de rentrer, s'écria André. J'allais lui téléphoner. Comment va-t-il?

— Pas très bien. Il vous réclame. Il voudrait que vous veniez passer la nuit à la maison, comme hier.

— Bon, dit André. J'arrive.

Comme il raccrochait, la porte d'entrée s'ouvrit et Constantin parut sur le seuil. « C'est vrai qu'il ressemble au garçon du tableau », pensa André.

3

Plongé dans la rumeur et le mouvement de la gare, André jouait à se dire que Constantin allait partir définitivement. Tout à l'heure, à la portière du wagon, ils se diraient adieu dans une embrassade virile. Un dernier sourire, un dernier signe de la main et, avec un glissement de métal et de vitres, le convoi emporterait le voyageur éploré vers quelque hypothétique Yougoslavie. Plus de Constantin. L'appartement libre de toute présence étrangère. Après deux mois de vie en commun, le retour aux sombres richesses de la solitude. L'illusion était si réconfortante, qu'André s'en amusa bizarrement avant de se rappeler que Constantin ne partait pas pour Belgrade, mais avec lui pour Savigny-sur-Orge, où Coriandre les attendait à déjeuner. Ils se faufilaient entre les groupes. André avait l'impression qu'un jeune chien trottait sur ses talons. Quand il se retournait, il rencontrait un regard couleur de caramel, fixé sur lui avec confiance. Constantin ne parlait que le serbo-croate et un peu l'anglais. André ne connaissant ni l'une ni l'autre de ces deux langues, leurs conversations se limitaient à des sourires, à des gestes, à des mots passe-partout. Pour les questions importantes, ils avaient recours à un interprète. Coriandre, elle, avait appris l'anglais au lycée. Comme d'habitude, elle les aiderait à se comprendre.

Ils montèrent dans un wagon et trouvèrent deux places assises, vis-à-vis. André fit une mine réjouie et Constantin lui répondit de même, en clignant de l'œil. C'était somme toute reposant, cette absence de mots. Le convoi s'ébranla. Le visage de Constantin prit de la vitesse. Immobile et pourtant rapide, avec ses cheveux blond de paille et son front bas. Un paysage fou lui souffletait le profil. Ses mains étaient posées sur ses genoux comme pour lutter contre l'accélération de la course.

Il était de deux ans plus jeune que son frère Milan. Milan, lui, parlait le français. Un jour il était parti de chez André sans explication. Peut-être avait-il quitté la France? Il disait toujours qu'il voulait aller à Berlin ou à Londres. Quelques mois plus tard, Constantin avait débarqué à la recherche de son frère, qui lui avait donné l'adresse d'André dans ses lettres. Depuis des semaines, il tournait en rond dans le milieu yougoslave de Paris en tâchant d'avoir des nouvelles de Milan. Quand il se serait convaincu de l'inutilité de ses démarches, il retournerait dans son pays. Mais cela pouvait durer longtemps encore. Touchante, l'affection de Constantin pour son frère aîné. André le comprenait : Milan —

tête brûlée — avait beaucoup de charme, et Constantin, beaucoup de cœur. Il ne les avait jamais vus ensemble. Il les imagina. Quelque part en Yougoslavie. Parlant une langue sauvage et riant à pleines dents. Derrière eux, des montagnes, un lac. André n'était jamais allé en Yougoslavie. Evidemment il ne voyageait pas assez. Au vrai, il s'amusait tellement du tohu-bohu des idées dans sa tête, qu'il n'éprouvait nul besoin de changer, en plus, de décor. Prendre le train pour Savigny-sur-Orge équivalait pour lui à visiter l'Egypte. Encore une chose qu'il ne pouvait faire comprendre par signes à l'hermétique Constantin. La banlieue transpercée s'éparpillait de part et d'autre du wagon qui volait sur les rails. De temps en temps, une gare vous sautait aux yeux, toutes griffes dehors, avec ses pancartes illisibles. Choisy-le-Roi était au bord du Nil et Ablon au pied de l'Oural. Tout à coup il fallut descendre. Aux lignes horizontales de la campagne, succédaient les lignes verticales des maisons, aux espaces transparents, les blocs opaques.

Coriandre habitait, dans un square, un immeuble neuf aux mille fenêtres superposées. Mais, à peine franchi le seuil de sa porte, on oubliait qu'on se trouvait au sixième étage d'un de ces cubes de béton dont tous les alvéoles grouillaient de vie, pour se croire dans un pavillon de banlieue, vétuste et isolé, avec la salle à manger ouvrant de plain-pied sur le jardin. A quoi tenait cette impression d'être à la fois sans voisins immédiats et au même niveau que la terre? Peut-être à la présence des quatre chattes. Elles vinrent vers André, en procession silencieuse. Il leur gratta la tête à tour de rôle tandis qu'elles se frottaient contre ses jambes, une noire, deux tigrées et une rousse. Elles ne lui gardaient pas rancune de les avoir données, l'une après l'autre, à Coriandre. Chaque fois qu'il recueillait une bête, c'était avec l'intention sincère de la conserver pour la vie. Puis une difficulté surgissait et sa sœur s'offrait à prendre l'indésirable en pension. Ainsi, en venant chez Coriandre, revoyait-il avec attendrissement ses erreurs passées. Même le vieux chien, Hector, lui avait appartenu avant de se retrouver ici entre les quatre chattes. Taciturne, couché en rond dans un panier, les poils sur les yeux et la queue frétillante. Il se leva, à contrecœur, salua son ancien maître d'un coup de langue sur la main, regagna son coin et se renfonça dans une somnolence odorante et touffue. Les chattes se dispersèrent avec dignité. Toutes les bêtes, ayant satisfait aux rites de l'accueil, retournaient à leurs habitudes. André lui-même se dirigeait d'instinct vers son fauteuil. Ici, il était chez lui autant que dans son appartement de la rue Saint-Honoré. Sa sœur était une telle collectionneuse de souvenirs, tant de vieilles robes pendaient dans ses placards, tant de menus objets oubliés bourraient ses commodes, tant de lettres et de photographies dormaient dans les tiroirs de son secrétaire, que, traversant tous les obstacles, une impalpable poussière de passé embaumait la pièce.

Sur ce bric-à-brac sentimental, Coriandre

régnait, onduleuse et pâle, le geste incertain. Elle servit un Americano comme apéririf et échangea quelques mots en anglais avec Constantin. André écoutait deux canards au bord d'un étang. Etienne, le mari de Coriandre, travaillant à Paris, ne rentrait jamais pour le déjeuner. La faim d'André se réveilla. Il n'aurait pas dû insister pour que Coriandre leur fît un repas-régime. Elle passa dans la cuisine et revint au bout d'un moment portant un plat dans chaque main. Le couvert avait été dressé sur une table de bridge. Les biftecks, sans sel, étaient coriaces et les carottes auraient gagné à cuire dix minutes de moins. Les chattes tournaient autour de la table. Tantôt Coriandre tantôt André leur donnaient une bribe de viande, qu'elles avalaient tout rond.

— Qu'est-ce qu'il t'a raconté, tout à l'heure? demanda André.

— Qu'il ne savait toujours rien au sujet de son frère, dit Coriandre.

— Il ferait mieux d'abandonner et de retourner dans son pays.

— Veux-tu que je le lui dise?...

— Ça va lui faire de la peine, mais j'avoue...

— Tu ne peux pas te laisser envahir comme ça à longueur d'année. Rappelle-toi quand tu habitais rue de Grenelle. Ce n'était plus un studio, mais un dortoir! Vous étiez combien là-dedans? Six? Sept?

— Cinq.

— Alors, je lui parle?

André acquiesça d'un clignement de paupières et piqua du nez lâchement dans son assiette. Il découpait son bifteck d'un air absorbé et prêtait l'oreille à cet échange de mots anglais entre sa sœur et Constantin. Comme il ne comprenait rien à ce qui se disait devant lui, il pouvait croire qu'il s'agissait d'une conversation anodine. Mais soudain, en observant son voisin à la dérobée, il le vit si désemparé, l'œil vide, la bouche entrouverte, qu'il comprit que Coriandre avait porté le coup. Alors subitement un accès de pitié lui serra le cœur. Mettre à la porte ce garçon doux et discret. Le renvoyer comme un serviteur malhonnête après l'avoir accueilli comme un ami. L'empêcher peut-être de retrouver son frère... Tout cela parce qu'il se jugeait un peu à l'étroit dans son appartement! Tant d'égoïsme l'étonnait de sa part. Coupant la parole à Coriandre, il lança précipitamment :

— Attends..., dis-lui qu'il ne se presse pas..., dis-lui que, si je lui conseille de partir, c'est dans son intérêt, et pas du tout parce que sa présence me gêne..., dis-lui que moi, personnellement, je ne vois aucun inconvénient...

— Ah! tu ne changeras jamais, André! dit-elle en souriant.

Et elle repartit avec aisance dans un brouillamini de syllabes inintelligibles. A mesure qu'elle parlait, le visage de Constantin s'éclairait de l'intérieur. De toute évidence, ce qui le touchait le plus, ce n'était pas d'avoir retrouvé un domicile, mais d'avoir gardé la confiance d'un ami. Il se leva et embrassa André sur la tempe en lui serrant fortement les épaules. Puis, de la même façon, il embrassa

Coriandre. Emu, André pensait, Dieu sait pourquoi, à des histoires d'innocents réhabilités. Le dessert — une compote de pommes sans sucre — lui parut d'autant plus fade qu'il se sentait l'âme plus haute. On prit le café autour d'un puzzle anglais aux découpures diaboliques. Constantin était très habile à ce jeu. Dès qu'il avait repéré un morceau dont le contour s'adaptait à celui du morceau voisin, une joie puérile scintillait dans son regard. Il s'écriait :

— *I have it!*

Et Coriandre le complimentait pour la sûreté de son coup d'œil. Perdu dans une immobilité béate, André regardait se construire, pièce par pièce, un petit univers aux sinueuses fissures de séisme. Enfin Coriandre se détourna de la table. André se leva à son tour, laissant Constantin seul aux prises avec un problème multiforme. Il venait de se rappeler qu'il n'avait plus d'argent pour finir la semaine. Tout ce qu'il avait touché sur l'héritage de sa mère, il l'avait placé, pour rendre service à Etienne, dans la petite entreprise d'équipement électroménager que celui-ci avait montée à Paris. Dès que les affaires marcheraient mieux, il rentrerait dans son argent. Mais, pour l'instant, Etienne était en difficulté. Il fallait attendre. André demanda :

— Tu ne pourrais pas m'avancer deux cents francs?

Elle alla vers son secrétaire, y prit une boîte en carton pleine de débris de vieux bijoux, et tira, de dessous le tas, deux billets.

— Je te les rendrai le mois prochain, dit-il en empochant l'argent.

Un long fume-cigarette en ivoire, au bout cassé, était tombé de la boîte. Il le ramassa et revit sa mère. Elle fumait en feuilletant un journal illustré, et lui, assis à ses pieds, jouait avec des rubans de couleur. Contre son dos, la chaleur d'une jambe. Il levait la tête et recevait, comme une douce pluie, un regard, un reflet de cheveux, la courbe d'une bouche peinte. Pas d'heure pour les repas ni pour le coucher; un jour, des gâteaux, le lendemain, des macaroni; une vie d'attrapes et de pirouettes. Un soir, elle s'était déguisée en bohémienne avec de vieux rideaux. Comme ils avaient ri! Et la fois où on avait décidé de ne s'adresser la parole qu'en chantant, comme à l'Opéra. Elle ne leur disait jamais rien de leur père, qui l'avait quittée après cinq ans de mariage et était mort dans un accident de voiture, en Australie. Tout ce qu'on savait de lui, c'était qu'il avait un grand nez. Elle avait horreur des grands nez. Mille choses lui faisaient peur : les couteaux à manche de bois, les tessons de bouteille, certaines pommes de terre aux grimaces maléfiques, un trop long silence, une trop profonde nuit. Toujours il y avait une lampe allumée dans sa chambre. De quelle couleur étaient ses yeux? Cent fois, André avait tenté de la peindre de mémoire. Impossible, son pinceau mentait. Mais il savait qu'il essaierait encore, de temps à autre, jusqu'à la fin de sa vie. Il reposa le fume-cigarette dans la boîte.

— Tu le veux? demanda Coriandre.

— Non, il est mieux chez toi.

— Qu'as-tu fait, la semaine dernière? Qui as-tu vu?

C'était la question habituelle. Coriandre, ne bougeant guère de chez elle, pompait juste ce qu'il lui fallait de la vie du monde à travers les récits de son mari et de son frère. André la mit au courant de ses journées. Mais, tout en lui parlant de Gérard, de Sabine, du tableau, il avait l'impression d'échanger avec elle des souvenirs d'enfance.

Penché sur son puzzle, Constantin soufflait, marmonnait, avec l'application méticuleuse d'un raccommodeur de porcelaine. Coriandre montra à André un coupon de tissu qu'elle avait acheté en solde :

— Qu'est-ce que tu penses de ça?

— Très joli.

— Il y en a deux mètres cinquante. Tu crois que tu pourras me tailler quelque chose là-dedans?

— Je me débrouillerai..

Il lui avait déjà confectionné tant de robes! Sans avoir jamais appris la couture, il coupait, assemblait, bâtissait avec une aisance qui émerveillait sa sœur. Il dessina trois ou quatre modèles, d'un crayon leste, et promit de se mettre au travail à sa prochaine visite. Pour l'instant, il avait surtout envie de coiffer Coriandre à son idée. En rentrant à la maison, vers sept heures, Etienne trouva André, le peigne à la main. Il voulut retenir son beau-frère et Constantin à dîner. Mais ils étaient attendus chez Gérard. Ils auraient même dû être déjà partis! Constantin se désolait d'être obligé d'abandonner son puzzle avec un grand trou au milieu. Coriandre, la chevelure superbement apprêtée, comme pour un bal, rayonnait au seuil d'une soirée vide. Des épingles partout. Un léger parfum de laque vaporisée. Une glace à main avec un sourire dedans.

— Tu m'aimes mieux comme ça, Etienne, ou comme j'étais avant?

Etienne ne voyait pas la différence. Il se fit huer, en riant, et sortit promener le chien. André et Constantin prirent l'ascenseur avec lui. Il les accompagna jusqu'à la gare. Le retour par le train parut à André plus lent et plus monotone que l'aller. Sans doute parce qu'il espérait moins de sa soirée avec Gérard que de son après-midi avec Coriandre.

Gérard, convalescent, se leva pour passer à table. Il avait enfilé une robe de chambre de velours noir. André lui était reconnaissant d'avoir invité Constantin. Celui-ci, conscient de l'honneur qui lui était fait, se tenait raide sur sa chaise et mangeait du bout des dents. Gérard poussa l'amabilité jusqu'à lui adresser la parole en anglais, à plusieurs reprises, puis se lança, en français, dans un discours enflammé sur l'œuvre méconnue de Crivelli. Il s'était, depuis peu, entiché de ce peintre et revenait constamment à sa découverte. Les fruits et les oiseaux dans les tableaux de Crivelli, la signification mystérieuse de ce concombre qui pointait, comme une signature, dans la plupart de ses compositions, le dur hiératisme de ces figures féminines... André approuvait, contredisait, comme on attise un feu. Il aimait se réchauffer à la science de Gérard. De Crivelli, ils passèrent à Mantegna, à Bronzino, à Paolo Uccello, dont ils admiraient tant, l'un et l'autre, la *Bataille de San Romano*. Puis soudain l'enthousiasme de Gérard s'éteignit. Baissant le ton, il se remit à parler de Claudia. Encore à Londres, avec ce gamin. Il lui avait envoyé de l'argent : « Ça l'incitera peut-être à revenir. » Quand il pensait à elle, c'était en traversant des alternatives d'espoir et de découragement, d'indulgence et de haine. André le suivit sur ces vagues, avec la docilité d'un bouchon. Gérard se fatiguait, visage de cire posé sur un socle funèbre. Un peu de sueur perlait à ses tempes. Louise allait et venait derrière son dos, en roulant un œil furibond. André le persuada de se recoucher.

Comme d'habitude lorsqu'il ne savait où finir la soirée, il échoua, avec Constantin, au « Tilt ». Toujours les mêmes têtes dans la pénombre enfumée. Silhouettes de très jeunes gens faisant admirer leur meilleur profil et d'hommes mûrs aux regards d'acheteurs circonspects. Quatre ou cinq femmes perdues dans la cohue masculine. Coude à coude, on échangeait des compliments, des vacheries ou des promesses de rendez-vous. La musique énorme de l'électrophone entrait dans le corps par la plante des pieds et s'ouvrait en éventail dans les os iliaques. André et Constantin se coincèrent de biais contre le bastion du bar. Des visages de connaissance passaient dans leurs eaux, avec des lenteurs de méduses. Un clin d'œil, une poignée de main par-dessus l'épaule.

— Ça va?
— Ça va.
— Tu as vu José?
— Il est par là.
— Et Pietro?
— Il suit une cure de désintoxication.
— Quel âne! Je lui avais dit : trop, c'est trop!

André buvait, fumait, ne trouvait rien à dire et n'éprouvait pas le besoin de parler. L'inutilité même de cette station debout dans la foule était un élément de charme. Un rythme de tam-tam dans les oreilles, la fraîcheur d'un verre sous les doigts, en fallait-il plus pour être heureux dans l'instant? Constantin dodelinait de la tête en mesure. Visiblement il fût resté toute la nuit au « Tilt » sans se poser de questions. Vers deux heures du matin, André émergea de l'hébétude et tapota l'épaule de son compagnon.

Ils rentrèrent à la maison, sous une petite pluie fine. Constantin tira son matelas du placard et l'étala sur le plancher, devant la fenêtre. André ôta la housse du divan qui lui servait de lit. Mais, une fois couché, il ne put dormir. Un livre policier, n'importe lequel. Le saut à pieds joints dans une rassurante histoire de violence. Il tournait les pages. On allait le cambrioler, l'égorger. Non loin de lui, Constantin s'était assoupi, à ras de terre, la face enfouie dans l'oreiller. Sa respiration forte et égale soulevait le silence.

4

— Eh bien! moi, je trouve que c'est ce qui pouvait lui arriver de mieux, dit André en s'asseyant sur le coin de la table.

Il tenait le téléphone de la main droite et, de la gauche, écrasait une cigarette dans le cendrier.

— T'es pas fou? s'écria Sabine à l'autre bout du fil. Si tu l'avais entendue, tout à l'heure!... Elle est désespérée! Elle va peut-être faire une connerie!

— Claudia, une connerie? Ça m'étonnerait!

— Tu te rends compte, ce Philippe!... La plaquer comme ça! Toute seule, à Londres! Quel salaud!

— Ça t'étonne de lui?

— Elle est là-bas sans un sou!

— Elle t'a dit ça? Elle est gonflée! Gérard lui a envoyé de l'argent, la semaine dernière.

— Il ne doit plus lui en rester beaucoup, d'après ce que j'ai compris!

— Elle a bien de quoi prendre un billet d'avion, tout de même!

— Oui, je suppose...

— Alors qu'est-ce qu'elle attend? Il faut qu'elle revienne. Gérard ne demande que ça!

Il y eut un silence. André coinça le téléphone entre sa joue et son épaule pour allumer une autre cigarette. Il entendait Sabine respirer contre son oreille. Elle l'avait appelé à minuit, de Feucherolles, alors qu'il venait de rentrer avec Constantin. A califourchon sur une chaise, Constantin cirait ses chaussures. La lumière de la lampe éclairait son front incliné, aux cheveux plantés bas. La brosse allait et venait d'un mouvement rapide.

— Je ne sais pas si ce serait une bonne solution, dit Sabine.

— Comment? dit André. Mais il n'y en a pas d'autre!

— Si.

— Laquelle?

Un coup de sonnette retentit. Constantin posa sa chaussure pour aller ouvrir la porte.

— Claudia pourrait venir habiter chez moi, à Feucherolles, dit Sabine.

— Ce serait complètement idiot! s'exclama André.

Et son regard se fixa avec étonnement sur un garçon que Constantin faisait entrer dans la pièce.

— Qu'est-ce que vous faites là? dit-il gaiement.

— Je débarque, dit Frédéric.

— Et... et comment avez-vous eu mon adresse?

— Au « Tilt ». Tu m'avais dit que tu y étais souvent. J'ai demandé au barman.

— Allô, André... Tu m'écoutes ou quoi? dit Sabine.

— Excuse-moi... Je parlais à un ami qui vient d'arriver...

— Quel ami?

— Tu ne le connais pas... Oui, pour Claudia, il ne faut surtout pas qu'elle s'installe à Feucherolles. Gérard ne comprendrait plus... Il est prêt à tout pardonner, à tout oublier. Pas une seconde, il n'a songé au divorce. Et elle...

Tout en parlant, il regardait avec une intensité joyeuse Frédéric qui s'asseyait à deux pas de lui, dans un fauteuil, et allongeait les jambes. Ce visage étroit et osseux, à l'œil de jais, avait l'insolence tragique de certains portraits de la Renaissance italienne. Il eût voulu poser cent questions à Frédéric et ne pouvait se détacher de Sabine. Couvrant d'une main la rondelle du microphone, il chuchota :

— Ça va?

— Ça va! dit Frédéric.

— Comprends-la, dit Sabine. Elle a beaucoup de tendresse pour Gérard, mais elle ne l'aime pas vraiment.

— Il ne le lui a jamais demandé, dit André.

— C'est vrai... Seulement elle ne se sent plus capable de reprendre la vie avec lui. Elle préfère la solitude...

De nouveau, André coiffa le micro avec sa paume :

— Tu veux prendre un verre?... Constantin, whisky...

Il restait un fond de whisky dans une bouteille. Constantin servit Frédéric. Les deux garçons échangèrent quelques mots en anglais.

— Ecoute-moi, Sabine, dit André. Assez d'enfantillages. Gérard vient d'être très malade. Il a besoin de Claudia. Sans elle, il va crever. Il faut qu'elle retourne auprès de lui. Le plus vite possible. Téléphone à Londres. Raisonne-la...

— Bon, dit Sabine. J'ai des courses à faire, demain matin, boulevard Saint-Germain. Veux-tu qu'on se retrouve aux « Deux-Magots », vers onze heures? D'ici là, j'aurai appelé Claudia. On y verra déjà plus clair.

André accepta ce plan de campagne et raccrocha, épuisé et heureux.

— Tu es arrivé quand? demanda-t-il en se tournant vers Frédéric.

— Tout à l'heure. Je peux dormir ici, cette nuit?

— On essaiera de s'arranger.

— C'est drôlement bien, chez toi! dit Frédéric avec un regard circulaire. Tu habites seul?

— C'est-à-dire... actuellement, j'ai Constantin...

— C'est qui, Constantin?

— Eh bien! lui! Il est yougoslave...

— Je veux dire par rapport à toi. C'est ton petit ami?

— Pas du tout!

— Je vois. C'est un ami d'enfance!

Frédéric riait, les yeux bridés, avec une sorte d'amitié indulgente, d'ironie légère.

— Où sont tes bagages? dit André.

— Je les ai laissés au « Tilt ».

— Tu y serais passé une heure plus tôt, tu m'aurais trouvé. Tu as dîné?

— Non.

— Je vais voir ce que j'ai!

L'instant d'après, André était dans la cuisine, une serviette sur le ventre, et faisait cuire des pâtes. Les deux garçons vinrent l'observer, chacun adossé à un côté de la porte, comme deux jeunes Atlantes soutenant un frêle entablement. Mains dans les poches et regards allumés de gourmandise. Constantin, qui avait pourtant dîné, semblait aussi affamé que Frédéric. Leur appétit se communiquait à André. Saisi d'une inspiration fébrile, il prépara — grande spécialité! — une sauce très relevée à base de tomate. La salive emplissait sa bouche. Il rajouta du thym, du laurier. Comme Constantin paraissait lourd et fade à côté du nouveau venu! Il y avait en Frédéric la finesse souple d'un fleuret. Une lame d'acier, froide et brillante. Quelque chose de meurtrier et d'élégant à la fois. Constantin se précipita pour mettre le couvert sur un coin de table. Frédéric le regarda faire, dédaigneux, la cigarette au bec. On s'assit autour d'un joyeux médianoche.

— Qu'as-tu fait depuis Fayence? demanda André en servant un énorme écheveau de pâtes à Frédéric.

— Pas grand-chose, dit Frédéric. Et toi?

— Pas grand-chose non plus.

— Tu m'avais dit que tu faisais de la peinture. C'est de toi, ça?

Frédéric désignait de la fourchette une toile ancienne pendue au mur et représentant une tête de femme dont les chairs se décomposaient, verdâtres, parmi des rubans d'algues et des couronnes de bulles.

— Oui. Mais il y a longtemps. Ce n'est pas très bon.

Frédéric n'approuva ni ne contredit ce jugement. En un clin d'œil, il ne resta rien des pâtes. Ensuite il fallut installer le visiteur pour la nuit. Constantin, ayant traîné son matelas à la place habituelle, aida André à disposer par terre, contre le mur d'en face, les coussins du divan, bout à bout, de façon à former une couche. Ils recouvrirent le tout avec un drap.

— Tu ne vas pas être bien, là-dessus! dit André.

— Pourquoi? dit Frédéric. C'est royal!

Il riait, mains à la ceinture, jambes écartées. André lui montra la minuscule salle de douches, la « kitchenette » et les cabinets sur le palier. Puis il se dépêcha de se mettre au lit. Mais les deux garçons n'avaient pas sommeil. Assis au pied du divan d'André, ils fumaient et baragouinaient des phrases en anglais, à de longs intervalles. Constantin tira des disques d'une pochette. Ils les écoutèrent avec une gravité religieuse. C'était une musique violente et saccadée. Une succession d'éternuements mélodieux. Les têtes oscillaient, comme dérangées par des cahots. On eût dit qu'ils roulaient en camion, par de mauvaises routes, vers une destination inconnue. Frédéric dit :

— Tu as quelques bons disques... Et puis j'aime bien tes tableaux!

Enfin les deux garçons se décidèrent à se coucher, chacun dans son coin. A demi dressé sur son oreiller, André les voyait, en contrebas, l'un à gauche, l'autre à droite. Une touffe de cheveux bruns, une touffe de cheveux blonds. Des manteaux en guise de couvertures. Un campement de bandits.

Quand il ouvrit les yeux, dans la pénombre des rideaux tirés, les deux garçons dormaient encore. Leur dos, tourné vers la fenêtre, refusait le jour. Une fade odeur de ménagerie épaississait l'air de la pièce. Il se faufila entre ces gisants et passa dans la salle de douches. Toilette éclair et café noir, pris debout, devant le réchaud, pour ne réveiller personne. Pourquoi avait-il accepté ce rendez-vous avec Sabine? Maintenant il était trop tard pour la décommander. D'ailleurs, c'était lui qui aurait dû téléphoner à Claudia. Dieu sait ce qu'elles avaient décidé, ces deux idiotes! Il griffonna quelques lignes à l'intention de ses pensionnaires pour leur annoncer son retour aux environs de midi et fixa le billet au bec de la cafetière.

Sabine l'attendait devant un jus de tomate. Elle avait déjà téléphoné à Londres. Claudia consentait à réintégrer le domicile conjugal. A condition que Gérard ne lui fît aucun reproche. Elle était lasse, brisée. Elle avait besoin de compréhension. André retourna chez lui avec la conscience du devoir accompli.

En gravissant l'escalier, il lui sembla qu'il s'essoufflait plus que de coutume. Une inquiétude se mêlait à sa joie, comme lorsqu'il était enfant et qu'il devait déballer un cadeau. Le couvercle soulevé, qu'est-ce qui l'attendait dans la boîte? Il ouvrit la porte : les deux garçons étaient toujours étendus, chacun sur sa couche, fumant et devisant.

5

Ils se jetèrent tous trois dans l'escalier, en secouant la rampe et en faisant résonner les marches de bois sous la dégringolade de leurs talons : Constantin avait rendez-vous à « l'Alliance française » avec des Yougoslaves amis de son frère, Frédéric avait à faire, de son côté, et André devait guetter à la porte de la maison l'arrivée de Sabine qui viendrait le prendre en voiture pour aller à Orly accueillir Claudia. Un pâle soleil de novembre les enveloppa, sur le trottoir. Toute la rue paraissait taillée dans la fumée et la nacre. Constantin partit à pied en direction de la rive gauche. André consulta sa montre.

— Elle est comment, ta Sabine? demanda Frédéric.

— Très gentille.

— Je veux dire physiquement.

— Si tu attends cinq minutes, tu pourras juger par toi-même.

— J'ai pas le temps, dit Frédéric.

Cependant il restait sur place, les mains dans les poches de son caban, le regard horizontal, avec un air de marin scrutant le large. La petite voiture anglaise s'arrêta en deuxième file, soulevant les protestations des automobilistes bloqués derrière.

— Je suis à l'heure, hein? dit Sabine en passant la tête par la portière.

André contourna le capot et s'assit à côté d'elle.

— Y a de la place pour moi? demanda Frédéric.

— Mais oui, dit-elle.

Des klaxons irrités retentirent dans son dos. Elle haussa les épaules :

— On peut bien stationner une minute, non?

Frédéric s'installa sur la banquette arrière. La voiture démarra.

— On vous dépose où? dit Sabine.

— A Orly, dit Frédéric.

— Qu'est-ce que tu vas faire à Orly? dit André stupéfait.

— Tu ne savais pas? Je pars pour les Indes!

— André mon cher, dit Sabine d'un ton cérémonieux, vous manquez à tous vos devoirs, vous ne m'avez pas présenté Monsieur.

— Mille excuses, *my dear*, dit André. Je vous présente : Frédéric, mademoiselle Sabine Morest...

— Frédéric comment? dit Sabine.

— Barberousse, répondit Frédéric.

Ils éclatèrent de rire. André baignait dans un contentement tout neuf. Etait-ce la présence simultanée à ses côtés de Frédéric et de Sabine qui lui procurait ce plaisir de connivence? Il avait subitement vingt ans et roulait sur l'autoroute aux lignes impérieuses, comme une bille guidée par une rampe.

A Orly, on rangea la voiture dans l'immense nécropole, grise et sonore, d'un garage souterrain. De là, on se précipita dans un hall aux parois de verre. Il fallut courir, car on était en retard, à travers cette géométrie transparente. Escaliers roulants, distributeurs automatiques, pancartes, flèches, comptoirs d'acier poli et, au milieu de tout cela, une foule lente, molle, docile et internationale, dominée par une voix féminine d'outretombe qui annonçait les arrivées et les départs. Le temps d'un clin d'œil, Sabine et Frédéric s'immobilisèrent devant un gigantesque tableau aux chiffres lumineux. Ils avaient l'air de comprendre. André, lui, n'essayait même pas. On se remit à courir. Et, tout à coup, Claudia fut devant eux, grande, blonde, radieuse, un sourire laqué aux lèvres et un plaid écossais sur le bras. Elle se pencha sur Sabine. Les deux amies s'embrassèrent de profil avec effusion. André, qui s'attendait à recueillir une petite éponge imbibée de larmes, considérait avec surprise cette belle fille à l'œil clair et aux traits détendus, dont rien ne laissait supposer qu'elle émergeât d'un drame. Etait-ce la présence d'un étranger (Frédéric), qui l'incitait à affecter l'insouciance? Ils descendirent dans la salle de délivrance des bagages. Frédéric dénicha un petit chariot en aluminium. Quand Claudia eut récupéré ses valises, André les empila dessus et poussa la voiturette comme un landau d'enfant. Les portes s'ouvrirent toutes seules devant lui, silencieusement, par magie. Une fois à l'air libre, Frédéric se proposa pour aller chercher l'auto au garage. Sabine lui donna la clef. Elle souriait :

— Vous saurez?

— Ne vous inquiétez pas, dit-il en faisant sauter la clef dans sa main. J'ai été chauffeur de maîtres pendant vingt ans!

Il partit d'un grand pas félin.

— Qui est-ce? demanda Claudia.

— Un ami, dit André avec une fierté contenue.

— Il est charmant. Il ressemble à Jimmy.

— Tu trouves? s'exclama Sabine. Jimmy a quelque chose de tellement plus commun dans le visage!

— Je suis tout à fait de l'avis de Sabine, dit André avec force. Moi, Frédéric me fait penser à un personnage de la Renaissance italienne. Il devrait s'appeler Aurelio.

— Oui, Aurelio, c'est assez son genre, décréta Sabine.

André jugea le moment venu d'annoncer à Claudia qu'il comptait passer d'abord chez Gérard. A ces mots, les couleurs de Claudia s'éteignirent. Elle murmura :

— Je me demande si j'ai eu raison de vous écouter, tous les deux. Tu comprends, si je dois revivre ce que j'ai déjà connu avec lui...

La voiture se rangea en douceur contre le trottoir.

— Je garde le volant? dit Frédéric.

— Si vous voulez, Aurelio, dit Sabine.

— Pourquoi Aurelio? marmonna-t-il.
— Nous avons décidé que ça t'allait bien, dit André.
Frédéric plissa les yeux, réfléchit, fit une moue de dégustateur et conclut :
— D'accord pour Aurelio!
Il ouvrit la portière de la voiture. André monta derrière et se ratatina, en riant, sous l'amoncellement des valises.
— Ce n'est pas possible! dit Sabine. Tu vas étouffer!
— Penses-tu! s'écria-t-il. J'ai une souplesse de serpent. On croit me casser les reins, et je me love autour de l'obstacle.
— Il se love! dit Claudia! Avec sa brioche!...
— Tais-toi, sorcière!
Claudia s'assit à côté du conducteur et prit Sabine sur ses genoux :
— Ce que t'es lourde! gémit-elle.
— J'ai maigri de trois kilos, dit Sabine.
— Chaque fois que je te vois, tu as maigri de trois kilos!
Aurelio conduisait avec aisance et vivacité sur l'autoroute qui se déroulait maintenant en sens inverse. Une crampe menaçait la jambe gauche d'André, durement repliée contre le siège. Le coin d'une valise lui comprimait les côtes. Il calcula qu'on ne serait pas à Paris avant vingt minutes. Tiendrait-il jusque-là dans cette position incommode?
— Tu respires encore? demanda Sabine.
Subitement Aurelio donna un coup de volant. La voiture quitta l'autoroute et s'engagea sous une énorme pancarte : Rungis.

— Eh! cria Sabine. Qu'est-ce qui vous prend? Nous allons à Paris!

— Et pourquoi n'irions-nous pas plutôt à Rungis? dit Aurelio. Vous êtes pressée?

— Nous n'avons rien à faire à Rungis!

— Si justement. Il faut avoir vu Rungis. Rungis, c'est l'avenir!

— Moi, mes enfants, je n'en peux plus, grogna André. J'ai une crampe. Arrêtez-vous!

— On ne peut pas s'arrêter, dit Aurelio.

Le paysage de pierre tournait sur son axe comme une hélice. L'agglomération se hérissait de sens interdits. Des hangars de béton, faits pour les victuailles, refusaient la visite des hommes.

— Au fait, c'est une idée, dit Claudia. Si nous déjeunions à Rungis. J'ai une de ces faims!

— Bravo! dit Aurelio. Justement il y a un bistrot sympa, par ici, « le Barbillon ».

— Vous avez l'adresse?

— Non.

Ils se renseignèrent auprès des passants. Personne ne connaissait « le Barbillon ». André se contorsionnait entre les valises.

— On ne trouvera jamais, depuis le temps qu'on tourne, dit-il.

Aurelio se frappa le front :

— Suis-je bête! « Le Barbillon », c'est à Salon-de-Provence!

Les filles le conspuèrent. Il s'étranglait de joie, plié en deux sur son volant. Comme André demandait grâce, on entra dans le premier « snack » venu. Les sièges étaient d'étranges galettes de feutre, bleu et jaune, montées sur un ressort à boudin central. La lumière du néon tombait du plafond sur des assiettes triangulaires. Tant de laideur enchanta Sabine.

— C'en est reposant! dit-elle.

Ils commandèrent des hamburgers et de la bière. Claudia parla de Londres, des derniers airs à la mode, des couturiers anglais, des boîtes de Soho, sans prononcer une fois le nom de Philippe. A croire qu'elle s'était trouvée seule, tous ces jours-ci, en Angleterre. Aurelio la regardait de temps à autre avec gravité, puis portait son verre à sa bouche et buvait avidement, comme si la contemplation de Claudia eût augmenté sa soif.

— Peut-être trouverai-je du travail, à Rungis, dit-il.

— Quel genre de travail? demanda Claudia.

— Vous ne savez pas? J'ai été fort des Halles!

Il pliait le bras pour faire saillir son biceps.

— Oui, oui, je sais, dit Sabine. Pendant vingt ans, n'est-ce pas?

Ils pouffèrent de rire. André était ravi de voir qu'Aurelio plaisait aux deux filles. Au moment de l'addition, ils se cotisèrent.

Pour le retour à Paris, André reprit place, en pestant, à l'arrière de la voiture, entre les valises. Le trajet, coupé d'encombrements, lui parut interminable. Enfin la rue Montpensier!

— C'est pas tout ça! dit Aurelio. Nous n'allons pas t'attendre ici, nous autres. J'emmène Claudia et Sabine à la maison. Tu nous rejoindras.

L'auto redémarra, laissant André sur place avec sa joyeuse impatience de donateur. Avant de sonner à la porte de Gérard, il reprit sa respiration, tant son cœur battait vite. Ce fut avec une gravité radieuse qu'il annonça la nouvelle. Gérard pâlit :

— Pourquoi n'est-elle pas avec vous?

— Elle n'a pas osé monter, dit André.

— Où est-elle?

— Chez moi.

— Sa place est ici. Je l'attends. Dites-le-lui. Vite!

Un tapis rouge se déroulait sous les pas de l'infidèle. André se dépêcha de retourner rue Saint-Honoré, porteur de cet impérieux message de paix. Il courait presque, poussé par l'allégresse. Il trouva Claudia au téléphone, l'œil humide, la lèvre chuchotante : Gérard n'avait pu attendre et l'avait appelée. Respectueux de cette conversation sentimentale, Sabine et Aurelio bavardaient doucement à l'écart. Le thé était servi, avec du pain grillé et de la confiture.

— Qui a préparé ça? demanda André à voix basse.

— Qui veux-tu que ce soit? dit Aurelio. Tu sais bien que je fais tout dans cette maison!

En effet, arrivé depuis trois jours à peine, il semblait déjà le maître des lieux. Ses vêtements pendaient dans le placard à côté de ceux d'André et de Constantin. La couleur des murs convenait à son visage. Les objets l'avaient adopté. Claudia raccrocha le téléphone et tourna vers André une figure de gratitude amoureuse. Emerveillée par l'image que

Gérard lui offrait d'elle-même, elle avait oublié ses craintes.

— Il faut que j'y aille, dit-elle. Merci, André, merci pour tout. Tu me déposes, Sabine?

Elles partirent après avoir bu une gorgée de thé et grignoté une tranche de pain grillé.

André était content de sa journée, sans pouvoir démêler si ce bonheur lui venait de la réconciliation de Gérard et de Claudia ou de sa randonnée sur l'autoroute avec Aurelio et les deux filles. Pour le dîner, il voulut faire une omelette, mais Aurelio lui dit :

— On ne va pas manger ici!

— Tu préfères sortir?

— Oui.

— Et Constantin?

— Pour un soir, il peut bien se passer de toi, non?

Ils se dirigeaient vers la porte, quand Constantin arriva.

— Dis-lui de venir avec nous, suggéra André.

— Ah! non, grogna Aurelio. S'il vient avec nous, ça ne m'amuse pas. Ou nous sortons tous les deux, ou je sors seul.

— Ecoute..., on ne peut pas le laisser...

Les traits d'Aurelio se durcirent. Un flot sombre noya ses yeux.

— Bon, dit-il. J'ai compris. Salut!

Il franchit le seuil et claqua la porte derrière lui. Ce départ laissa André étourdi, avec, au cœur un sentiment d'incompréhension et de ratage. Les heures à venir, dont il attendait beaucoup, se vidaient soudain de toute signification. Il considérait avec un mélange de pitié et de rancune ce garçon aux gestes lents et à l'œil couleur caramel qui mettait la table. Il allait passer la soirée avec un sourd-muet.

A demi dressé sur ses coudes, dans le noir, André écoutait les bruits de la maison. Aurelio n'était toujours pas de retour. Voulait-il marquer son mécontentement en traînant dehors le plus tard possible? Avait-il retrouvé des amis qui ne le lâchaient pas? S'était-il mis en tête de coucher ailleurs? Peut-être ne reviendrait-il jamais? Ou juste pour chercher ses affaires? L'appréhension d'André croissait à mesure que se précisait dans sa poitrine un bruit sourd de ressac. Il se sentait malheureux sans rien avoir à se reprocher. Abandonner Constantin eût été au-dessus de ses forces et cependant il regrettait de n'avoir pas suivi Aurelio. Après de longues hésitations, il ralluma sa lampe de chevet. Trois heures dix du matin. Constantin continuait de dormir, sur son matelas, le nez dans l'oreiller, les jambes ouvertes en ciseaux. Sans doute ne soupçonnait-il pas qu'il était responsable du brusque départ d'Aurelio. Avant de se coucher, il avait aidé André à préparer le lit de l'autre. Un lit qui ne servirait peut-être plus. André regardait avec tristesse cette jonchée de coussins recouverts d'un drap froissé. Il lui sembla entendre un pas dans l'escalier. Non, c'était la maison qui craquait, chargée de trop de rêves. Une tuyauterie gronda dans l'épaisseur des murs. Puis, de nouveau, ce fut le silence. Incontestablement Aurelio avait mauvais caractère. Le moindre contretemps le mettait hors de lui. Mais, s'il avait pris la mouche, n'était-ce pas la preuve qu'il attachait un grand prix à l'amitié d'André? Moins exclusif, il n'eût fait aucune objection à une sortie avec Constantin. André s'accrocha à cette idée et se laissa flotter, soutenu par elle, tandis que sa joie inexplicablement augmentait. Il alluma une cigarette, ouvrit un livre. Son regard courait sur les lignes imprimées, mais son esprit était ailleurs. Entre la nuit extérieure et lui, il y avait une mystérieuse osmose. La pulsation du monde l'emplissait et il se répandait, en échange, dans le monde. Des voitures le traversaient, un orchestre jouait sur son ventre, mille visages bougeaient dans son cerveau avec la mollesse gélatineuse des anémones de mer. La cendre de sa cigarette se détacha et tomba sur le drap. Il chassa d'un souffle le petit rouleau de poudre grise. Encore une page. De quoi était-il question dans le bouquin? Peu importe.

Il s'assoupit sous la lampe allumée. Un bruit de cataracte le réveilla. Cela venait de la salle de douches. Constantin dormait toujours, écrasé sur son matelas, les membres épars, comme chu d'un sixième étage. Donc, c'était Aurelio qui se lavait. Il était revenu! Un bonheur fulgurant frappa André à la tête. Il se retint d'aller voir. L'eau coulait, giclait, un corps s'ébrouait sous la pluie. Puis le ruissellement s'arrêta. Des pieds nus glissèrent sur le parquet. André ferma les yeux et simula le sommeil.

6

Accoudé au comptoir, André buvait son café-crème à lentes gorgées gourmandes. Il était descendu prendre le petit déjeuner au bistrot du coin pour ne pas réveiller les deux garçons. La concierge lui avait remis son courrier au passage : des prospectus et une carte postale de Sabine. Elle était partie pour Aix-en-Provence, où des amis l'avaient invitée. « Temps splendide. Je fais un peu de cheval. Et toi, que deviens-tu? Amitié à Constantin et à Aurelio. Je t'embrasse. » Il calcula avec surprise qu'il ne l'avait pas vue depuis trois semaines. Comme le temps passait vite! Etait-ce l'entrée d'Aurelio dans son existence qui avait provoqué cette brusque accélération des jours? Il trempa un croissant dans son café-crème et mâcha la pâte ramollie, juteuse, avec le sentiment d'atteindre à une perfection spirituelle rarement égalée. L'envie de peindre le reprit. Un portrait d'Aurelio. Ou plutôt une tête de femme. Une tête de femme qui aurait les yeux d'Aurelio. De longs cheveux noirs en désordre, un sourire fardé, et, au-dessus, un regard de jeune homme insolent. Il sourit à ce tableau androgyne dont la précision le troublait. Le goût de la cigarette exaltait sur sa langue celui du café-crème. Il fumait et se laissait envahir par le bruit des verres et des conversations. Le patron échangea quelques mots avec lui : le temps qui se gâtait, la boutique d'en face qui était à vendre... André lui demanda des nouvelles de son fils, qui faisait ses études à Grenoble. Enfin il acheta six croissants au comptoir et remonta chez lui, sans se presser, car il savait les garçons peu matinaux.

Il les trouva debout et tout habillés. Constantin entassait du linge dans sa valise.

— Qu'est-ce que tu fais? demanda André.

— Il s'en va, dit Aurelio.

André tomba de haut.

— Comment ça, il s'en va? dit-il.

— Oui, quoi! Il se tire.

— Mais pourquoi?

— Je ne sais pas. Une idée à lui.

— Il t'a annoncé ça ce matin, au réveil?

— Oui.

Aurelio souriait, les paupières plissées, avec une froide ironie. Il prit les croissants des mains d'André, en fourra un dans sa bouche, en offrit un autre à Constantin. Les deux garçons mangèrent avec appétit.

— Il part pour où? demanda André.

— Ben, pour la Yougoslavie.

— Et l'argent du billet ?

— Je lui ai dit que tu le lui avancerais. J'ai eu tort?

— Non.

André s'assit au bord du divan et alluma une cigarette. Il était à la foix heureux de cette solution et malheureux à l'idée que, peut-être, Constantin ne s'en allait pas de son plein gré. Tout cela, songeait-il, s'était décidé trop vite. Aurelio avait dû forcer la main au garçon. Dieu sait ce qu'il lui avait raconté pour l'inciter à déguerpir! Maintenant André ne pouvait lever les yeux sur Constantin sans en éprouver de la honte. Il pensait irrésistiblement à un mouton doux et laineux. Leurs regards se croisèrent.

— C'est vrai, Constantin, tu t'en vas? dit André. Yougoslavie... Voyage?...

Et il balança la main à petits coups pour évoquer un départ vers des horizons lointains. Constantin répéta le geste et dit :

— Oui. Meilleur comme ça.

Il n'avait pas l'air vexé. Tout au plus un peu triste. André se sentit la conscience allégée. Cependant il ne pouvait encore surmonter tout à fait son malaise.

— T'en fais une tête! ricana Aurelio. Ça t'ennuie tant que ça qu'il débarrasse le plancher?

— Non, dit André.

— Et pour l'argent, tu as ce qu'il faut?

— Je m'arrangerai. Il part par le train?

— Oui.

— Quand?

— Ce soir. Vers sept heures vingt, je crois...

— Il avait bien le temps de faire sa valise!
— C'est ce que je lui ai dit. Mais il est un peu con, ton Yougoslave. Un voyage, pour lui, c'est toute une affaire. Il s'y prépare des heures à l'avance, comme un paysan.

André téléphona à Gérard pour le prier de lui prêter cinq cents francs jusqu'à la fin du mois. Claudia prit l'appareil : était-il libre à déjeuner? Il refusa :

— Il faut que je reste avec Aurelio et Constantin, tu comprends... C'est la dernière journée de Constantin à Paris... Je ne peux pas lui faire ça... Je passerai voir Gérard vers midi, si ça ne le dérange pas... A propos, j'ai reçu une carte postale de Sabine... Toi aussi?... Qu'est-ce qu'elle est allée foutre à Aix-en-Provence?...

Constantin referma sa valise. Son regard parcourut la pièce. Il prenait congé des tableaux, du matelas par terre, de la cithare sans cordes, de la table basse en laque noire craquelée. La gorge d'André se serra. Il tenait toujours le téléphone contre son oreille. Claudia lui parlait maintenant de son bonheur retrouvé.

Ce départ qu'il avait tant de fois imaginé, eh bien! cette fois il y avait assisté pour de bon. Revenu dans sa chambre, il gardait encore, collée à sa peau, la froide grisaille de la gare. Il était resté jusqu'à la fin. Minutes interminables de silence et de contemplation. Bien entendu, il avait été seul à accompagner

Constantin. Aurelio s'était déclaré pris, mystérieusement, pour la soirée. Quand rentrerait-il? André décida de se passer de dîner. Il n'avait pas faim. Machinalement il étala une patience. Il comptait les cartes et pensait à des wagons accrochés l'un à l'autre. « Sans Constantin, le vie sera tellement plus simple!... » Il se le répétait pour lutter contre l'angoisse qui l'oppressait depuis un moment. Comme si, en éloignant ce garçon, il se fût exposé à une menace plus subtile que la solitude. Leur dernière poignée de main, leur dernier sourire avant l'ébranlement du convoi. Il brouilla les cartes, prit un livre, en lut trois pages et alla chercher son carnet de croquis. La mine de plomb glissait sur la page blanche où naissaient en désordre des fleurs qui ressemblaient à des visages. Puis un baobab s'éleva, dont un enchevêtrement de corps tordus composait le tronc. Des membres de suppliciés lui servaient de branches. Chacune de ses feuilles était un cri. Tandis que le crayon virevoltait dans cet enfer végétal, André s'étonnait de n'être pas davantage attiré par l'art abstrait. En vérité, tout en admirant certains artistes de cette école il ne pouvait se plier à leur vision du monde. Peindre, pour lui, c'est essayer de fixer ses rêves sur le papier, sur la toile. Et ses rêves avaient toujours une forme qui les apparentait à l'univers réel. Figures altérées, gauchies, certes, mais identifiables, elles obéissaient à des lois oniriques dont il n'était pas maître. Si, dans ses nuits, il avait rêvé de lignes sinueuses, de points multicolores, de hachures, de carrés, de cubes, il n'eût pas hésité à les reproduire, tels quels, dans ses tableaux. Mais ce n'était pas le cas : dans la demi-conscience du sommeil, ce qu'il voyait, c'étaient des herbes, des chevaux, des visages, un baobab humain... Alors pourquoi chercher autre chose? Pour se singulariser? Pour plaire à la critique? Un véritable artiste n'était pas libre de choisir son mode d'expression. Il travaillait sous la dictée. De qui? Impossible de le savoir. Celui qui tentait de percer le mystère était perdu d'avance. Déterminer pourquoi l'on peint, comment l'on peint, c'est déjà n'être plus un peintre, mais un critique d'art. Maintenant André accrochait des reptiles un peu partout dans les branches. A cette chevelure de serpents, répondait, en bas, une convulsion de racines annelées. Il resta la main en suspens. La porte d'entrée venait de s'ouvrir et retombait avec un bruit sourd. Aurelio parut sur le seuil. La lampe du vestibule enflammait le contour de sa tête.

— Alors, dit-il, tu l'as expédié?

— Oui.

— Ça n'a pas été trop douloureux?

— Mais non, pourquoi?

— Quel pot de colle! Enfin on respire!

André acquiesça du menton. Penché sur son épaule, Aurelio, à présent, examinait le dessin.

— Qu'est-ce que tu fais? dit-il enfin.

— Rien, je gribouille, dit André.

— Ce n'est pas mal.

— Tu trouves?

— Oui, je préfère ça à tes tableaux.

— Pas moi!
— Tu as tort. Tes tableaux, c'est pensé, c'est construit. Ça, c'est plus intuitif. Tu devrais en faire une bonne quantité. On les vendrait.
— A qui?
— A des gens, dans des boîtes.
— Non, dit André.
— Pourquoi?
— Je n'aimerais pas ça, voilà tout.
— Mais tu n'aurais même pas à t'en occuper. Tu me donnerais les dessins. C'est moi qui passerais entre les tables.
— Je te dis que non.
— Bon, bon, n'en parlons plus. Fais un autre dessin, pour voir.
— Je n'ai plus envie.
— Alors donne-moi celui-ci.
André arracha la feuille de son carnet de croquis et la tendit à Aurelio.
— Ecris-moi quelque chose dessus, dit Aurelio.
André écrivit au bas de la page : « Pour mon ami Aurelio ». Il ajouta la date et signa.
— Quand j'aurai des sous, dit Aurelio, je le ferai encadrer.
Cette phrase remua André comme le plus chaleureux des compliments.
— Tu veux dîner? demanda-t-il.
Aurelio fit non de la tête et mit un disque sur l'électrophone. La musique explosa.
— Un peu moins fort, dit André.
Aurelio baissa le son, ouvrit le placard et en tira le matelas de Constantin. Il en héritait de droit. Ce fut avec une satisfaction évidente

qu'il l'étala sur le plancher. Puis il se jeta dessus, tout habillé, croisa les mains derrière sa nuque et continua d'écouter la musique, les genoux pliés, les paupières closes. Il était là comme à l'ombre d'un arbre, couché sous le baobab magique.

7

Un couple d'âge mûr se pencha sur le dessin. L'homme ouvrit son portefeuille. Cent francs. La première affaire de la soirée. Assis à un guéridon, près de l'entrée, contre le rideau du vestiaire, André suivait de loin la manœuvre. Aurelio empocha l'argent et s'inclina devant la table suivante. Têtes balancées de gauche à droite. C'était non. Sans même un regard. Plus loin, les esquisses proposées se heurtèrent à la grimace sarcastique d'un « connaisseur ». Plus loin encore, une jeune femme exaltée fit tout déballer et ne se décida pour rien. Son carton sous le bras, Aurelio s'enfonçait, pas à pas, vers le fond de la salle. André ne distinguait plus le visage des dîneurs, noyés dans la pénombre, mais devinait leur hostilité à distance. A mesure que les refus s'ajoutaient aux refus, il regrettait davantage d'avoir cédé aux instances d'Aurelio. Tapi dans son coin, il avait l'impression humiliante d'être offert tout nu au jugement de dizaines d'étrangers. Comme une marchandise. Ces gens étaient venus à « la Mazurka » pour dîner et pour voir un spectacle. Et voici qu'on les ennuyait en leur fourrant des dessins sous le nez. Tiens, là-bas, près de la scène, une table de six personnes paraissait conquise. Les feuilles passaient de main en main. Aurelio donnait des explications. Quelle aisance! On eût dit qu'il s'était, toute sa vie durant, occupé de vendre des dessins. Sans doute appartenait-il à cette race de gens qui sont partout chez eux et captent leur science dans l'air qu'ils respirent. Quelqu'un toucha l'épaule d'André. Il se retourna : Charlotte, la propriétaire de « la Mazurka », se tenait derrière lui, belle, flexible, dans sa robe trop voyante, pailletée d'argent.

— Il se débrouille bien, ton petit copain, dit-elle.

— Ça ne t'ennuie vraiment pas?

— Penses-tu, mon chou! Tu es chez toi, ici. Viens vendre tes dessins aussi souvent que tu le voudras. D'ailleurs je les adore, tes dessins! Quand me changes-tu la décoration de ma boîte?

— Quand tu veux, dit André. Ça commence, en effet, à se défraîchir.

Il avait décoré « la Mazurka », au début de l'année. Thème général : la flore aquatique. Des entrelacs d'algues brunes et vertes, étouffant, çà et là, de pâles fleurs, des coraux turgescents et des débris de navires. C'était la deuxième fois qu'il transformait la salle, à la demande de Charlotte. Ils n'avaient jamais parlé de prix entre eux. Elle ne le payait pas, mais il avait chez elle « sa table et « sa bouteille ».

— Tu dînes ici, j'espère, dit-elle.

— C'était mon intention.

Aurelio revint avec son carton : il avait vendu deux dessins.

— Tu te rends compte, dit-il, si j'en case deux chaque soir, ça nous fera six mille balles par mois!

Un rire velouté gonfla la gorge de Charlotte.

— Ça ne signifie rien, dit-elle. Tu peux très bien vendre deux dessins un jour et pas un seul pendant toute la semaine qui suit.

Quand elle se fut éloignée, Aurelio dit :

— Je me la ferais bien!

— Elle a quarante ans! dit André.

— Et alors?

— De toute façon, tu n'es pas son genre. Elle ne s'envoie que des gars excentriques, des Péruviens, des Hindous, des Australiens. C'est sa façon de voyager. Vraiment elle te plaît tant que ça?

— Penses-tu! Mais la blonde, en face, elle, oui, je la trouve vachement sexy!

André suivit les indications d'Aurelio et découvrit, dans un groupe, vers le centre de la salle, une fille aux cheveux de paille et au sourire charnu qui regardait de leur côté avec insistance.

— Oui, dit-il, elle n'est pas mal.

Un serveur vint prendre la commande. Tout à coup André se sentit prodigieusement gai, comme au milieu d'une fête. C'était son anniversaire, c'était Noël! Il jubilait d'être en tête à tête avec Aurelio dans cette boîte qu'il avait lui-même décorée. Comme ce garçon avait changé depuis le départ de Constantin! Huit jours à peine, et il était aussi joyeux, détendu, serviable, qu'il avait été naguère ironique et cassant. Le rideau s'ouvrit sur un numéro d'imitateur. André l'avait entendu à dix reprises, mais Aurelio, qui venait pour la première fois, riait comme un enfant. Cela ne l'empêchait pas de lorgner, de temps à autre, la fille blonde.

On dîna ainsi, l'attention partagée entre ce qui se passait dans la salle et ce qui se passait sur la scène. A l'imitateur succéda une chanteuse mélancolique, dont le filet de voix dominait à peine le brouhaha des convives.

— J'ai envie de refaire la décoration dans le style forêt tropicale, dit André.

— Charlotte te l'a demandé? dit Aurelio.

— Oui, tout à l'heure.

— Cette fois, j'espère qu'elle te paiera.

— Oui... oui, bien sûr... Enfin nous nous arrangerons...

— La bouteille et la table, grommela Aurelio. Comme d'habitude.

— Tu sais, dit André, il faut se mettre à sa place; elle a des frais énormes avec tout le matériel que je l'oblige à acheter... Et, pour moi, ce n'est pas un grand travail. Ça m'amuse plutôt. Je vois un fouillis de grosses feuilles. Des lianes. Des fougères dentelées...

Il s'excitait déjà à l'ouvrage, ses mains drapaient dans l'air d'invisibles étoffes, froissaient d'irréels papiers de couleur. Aurelio hocha la tête et dit :

— Tu te feras toujours avoir par tout le

monde! On dirait que tu ne sais pas refuser! Ou bien alors l'argent ne t'intéresse pas!

André fermait à demi les yeux sous la tendresse de ces reproches. Quelle meilleure preuve un être cher peut-il vous donner de son attachement qu'en critiquant vos défauts avec gentillesse?

— Oui, dit-il, je crois que c'est ça. L'argent ne m'intéresse pas. Je t'avouerai même qu'il me fait peur...

Il s'expliquait, il se racontait. Aurelio le contredisait avec fougue. Et cet échange de propos resserrait entre eux une complicité virile si douce, que rien d'autre au monde ne comptait plus. Oui, tout à coup André se dit que ni sa sœur, ni Gérard, ni Sabine, ni aucun de ses amis ne lui manquaient en cette minute. Ils étaient sortis de sa vie. Chassés par Aurelio. Mais lui, qu'était-il pour Aurelio? Une inquiétude le traversa, couleuvre lente, qui glisse sans déranger la moindre brindille.

— Tu me laisseras parler à Charlotte, dit Aurelio. Je te jure que j'obtiendrai autre chose que du whisky et le plat du jour!

— Non, Aurelio, ça me gêne...

— Suffit. Je suis ton imprésario.

Ce ton autoritaire, ce regard violent. Amolli de consentement, André murmura :

— Qu'est-ce qu'ils te disaient, les gens, quand tu leur proposais mes dessins?

— Des compliments, dans l'ensemble. Il y en a qui m'ont demandé si c'était de moi!

— Et alors?

— Je leur ai répondu : oui. Rien n'attendrit les clients comme la vue d'un artiste vendant sa propre camelote. Ils ont l'impression de réussir une affaire sur son dos!

— Quels dessins ont-ils achetés?

— Les deux plus moches évidemment, le Cheval bleu et les Herbes.

— Je ne les trouve pas si moches que ça!

— Si, dit Aurelio.

Il se tut, lèvres serrées, et, de nouveau, planta son regard dans les yeux de la fille blonde, de l'autre côté du passage. Ce jeu de prunelles l'amusait, sans doute. Il y trouvait la satisfaction facile d'une victoire sans les soucis que cause l'occupation du terrain conquis. L'inconnue lui répondait de même. Ils couchaient ensemble par la pensée. En toute sécurité.

Le public applaudit. Un prestidigitateur remplaça la chanteuse. Aurelio revint à André. Des colombes sortirent d'une manche. Un jeu de cartes se métamorphosa en perruche bleue. Plus rien n'était vrai.

Depuis des heures, André dérivait dans l'immensité d'une chambre aux murs abattus. Autour de lui, le ciel et la mer étaient également noirs. Des vagues léchaient sans bruit les bords rectangulaires de son radeau. Par instants, il perdait le contrôle de sa pensée, puis, de nouveau, la conscience lui revenait. A force de scruter l'espace, il discerna la silhouette allongée d'Aurelio qui flottait, non loin de lui, sur une autre épave. Le même mouvement les berçait. Cet écueil, à droite, n'était-ce pas le bord de la table basse? Il accosta enfin. Sans doute était-ce le décor sous-marin de la boîte qui l'avait incité à rêver de naufrage. Quelle riche soirée de fantaisie et de compréhension!

Il se pencha hors de son lit et chercha à tâtons son paquet de cigarettes et son briquet, par terre. Un goût âcre emplit sa bouche. Il fumait une vapeur de nuit. Une mouche de feu dessinait des 8 dans l'obscurité. Soudain il lui sembla qu'Aurelio avait bougé sur son matelas. Il chuchota :

— Tu dors?

— Non, dit Aurelio. Je n'ai pas sommeil.

— A quoi penses-tu?

— La boîte, c'était sympa... On y retournera?

— Quand tu veux, dit André. Charlotte doit changer de programme dans trois semaines.

Et il s'abandonna aux délices de faire des projets d'avenir avec Aurelio.

— Tu as une cigarette? demanda Aurelio.

— Oui, dit André. Viens la chercher.

Les mots étaient montés à sa bouche sans qu'il y pensât. Un tremblement le parcourut à l'idée qu'il avait peut-être heurté son ami. Mais Aurelio ne manifesta aucune surprise. André l'entendit se lever. Des pieds nus se rapprochèrent de lui. Une main chaude, tâtonnante, chercha sa main.

— Passe-moi le paquet, dit Aurelio.

— Voilà.

— Tu as du feu?

André actionna le briquet. Au lieu d'allumer la cigarette, il se contentait d'éclairer cette face de faune aux ombres fuyantes. Aurelio se pencha sur la flamme. Ses oreilles étaient pointues. L'émail de ses dents luisait. Des étincelles pailletaient ses yeux noirs asymétriques. Il alluma sa cigarette et redressa le menton. Le briquet brûlait toujours entre les doigts d'André. Il ne se décidait pas à l'éteindre, malgré la chaleur qui s'en dégageait. Enfin, n'y tenant plus, il rabattit le couvercle. Dans la nuit revenue, ses yeux continuaient à voir des aigrettes phosphorescentes. Il écrasa sa cigarette dans un cendrier. Aurelio tira quelques bouffées de la sienne. A chaque aspiration, le bout incandescent brillait comme une petite étoile. Puis son éclat pâlissait, souillé d'une gangue de cendre. André était fasciné par cette pulsation lumineuse accordée au souffle de son ami. La cigarette d'Aurelio mourut, étouffée à son tour. Un genou s'appuya au bord du divan, une main rejeta les couvertures. André retenait sa respiration. Une telle angoisse se mêlait à sa joie qu'il n'osait bouger. Aurelio entra dans le lit. Il était nu. De son corps musclé irradiait une saine chaleur. Il s'allongea.

— On est mieux là que sur le matelas, par terre, dit-il d'une voix enrouée.

A l'aveuglette, André lui entoura les épaules de son bras. Aurelio se laissa faire. Joue à joue et les pieds réunis. De ces points de contact, une tendre brûlure se répandait dans tout le corps d'André. Il avait envie de pleurer et de mordre. Sa bouche frôla l'oreille du garçon.

Inexplicablement il pensa à sa mère. Elle le

prenait dans son lit lorsqu'il était enfant. Sa voix douce. Il ferma les yeux. Aurelio se souleva sur un coude et tourna le buste vers lui.

Par l'interstice des rideaux mal joints, un jour pluvieux se déversait dans la chambre. Il faisait humide et froid, malgré le radiateur électrique qui rougeoyait dans son coin. André eût bien allumé un feu dans la cheminée, mais il craignait de réveiller Aurelio en faisant du bruit. Assis sur une chaise, il contemplait ce grand corps nu étalé en travers du divan, une jambe repliée, l'autre droite, les bras ouverts, comme un sauteur passant la barre, à l'horizontale, dans un effort de haut vol. La main gauche du dormeur pendait mollement, doigts écartés. Sa figure, à demi enfouie dans l'oreiller parmi le désordre des cheveux, était, paupières et bouche closes, tout entière vouée au rêve. Les muscles de son ventre plat se soulevaient et s'abaissaient au rythme d'une respiration profonde. Trois touffes de poils bruns marquaient sa peau mate aux points essentiels. Et le sexe désarmé reposait sur sa cuisse, avec une naïveté énorme. Les minutes passaient lentement et André continuait à écarquiller les yeux sur ce paysage de chair, avec étonnement, avec gratitude, comme s'il l'eût créé lui-même en une nuit. Oui, Aurelio était son œuvre. Hier, il n'existait pas encore. Mais aujourd'hui, à son réveil, que serait-il?

Le dormeur bougea la tête, comme pour se

dégager de la gaze des songes. Puis il fit claquer ses lèvres et se renfonça avec volupté dans le sommeil. N'avait-il pas froid? N'eût-il pas fallu le couvrir? André se le demanda, mais ne fit pas un geste. Cette nudité était invulnérable, inaltérable, éternelle. Un marbre. En revanche, lui, André, frissonnait dans sa gandoura aux plis lâches. Il était assis sur une banquette de musée, dans le froid d'une galerie d'antiques. Ses membres s'ankylosaient. Il passa dans la cuisine, fit chauffer du café et en but une tasse si avidement, qu'il se brûla la langue. Mais il continuait à grelotter. Il avala une seconde tasse, par petites gorgées. Comme il la reposait, le téléphone sonna. A neuf heures et demie du matin, c'était sûrement une erreur. Furieux, il se précipita et décrocha l'appareil. Coriandre!

— Enfin je te trouve! dit-elle. Tu m'as bien laissé tomber, ces temps-ci!

Pris au débotté, il balbutia :

— Oui, ma chérie, je sais... Mais j'ai eu beaucoup à faire... Pour Gérard... et... pour moi... Et puis, j'ai été souffrant... Un lumbago... J'étais plié en deux... Non, non, maintenant c'est passé.

Pourquoi mentait-il? Coriandre n'était pas un juge. Il eût été si simple de lui dire que les aléas de sa vie intime l'avaient empêché de se rendre à Savigny-sur-Orge! Elle l'invita à déjeuner. Il refusa, disant qu'il la rappellerait dès qu'il serait libre. En raccrochant, il avait mauvaise conscience. Un éclat de rire le fit sursauter. Assis dans le lit, Aurelio le considérait d'un air sarcastique.

— Qu'est-ce que tu peux raconter comme bobards! dit-il.

André essayait de déceler sur ce visage un reflet des événements de la nuit. Mais non, tout souvenir semblait s'être envolé de cette tête moqueuse. Rien ne s'était passé entre eux dont ils auraient pu garder la mémoire. Ce jour était identique à la veille.

— Passe-moi une cigarette, reprit Aurelio.

André s'exécuta. Une flamme courte jaillit du briquet. Cette fois le geste de donner du feu était dénué de magie.

Aurelio se leva, nu, dans le demi-jour, et passa devant André, avec l'impudeur tranquille d'un camarade de sport traversant un vestiaire. Avant d'actionner la douche, il dit :

— Y a du café?

— Oui, dit André. Mais attends : je vais chercher des croissants.

— Bonne idée!

La douche gicla sur la tête d'Aurelio. Il avait oublié sa cigarette. « Merde! » dit-il. Et il la déposa, ramollie et roussâtre, sur le bord du lavabo. A présent il se dandinait sous les flèches d'eau, les cheveux plaqués en travers du visage, les cuisses nerveuses.

André s'habilla en un tournemain, dévala l'escalier et revint avec des croissants chauds. Entre-temps Aurelio s'était recouché, tout mouillé, dans le lit. Le drap adhérait à ses épaules humides.

— Tu aurais pu te sécher! dit André.

— J'aime pas ça.

Une musique hoquetante s'échappait de l'électrophone. Elle parlait de carrosseries d'autos écrasées, de rafales de mitraillettes, de halètements d'amour, de piétinements de tribus nègres.

André apporta le café, les croissants, le beurre, sur un plateau. Ils prirent leur petit déjeuner dans un vacarme de fin du monde. A plusieurs reprises, André fut tenté de glisser une allusion à ce qui était, pour lui, une exaltante aventure, mais la peur de n'être pas compris l'arrêta. Comme il remportait le plateau dans la cuisine, Aurelio demanda :

— Tu me prêtes ton pull bleu?

— Bien sûr! dit André avec élan. Tout ce que tu veux! Mais tu as bien le temps de t'habiller!

— Non. Faut que je me dépêche. J'ai un rendez-vous.

— Un rendez-vous? Tu ne m'avais pas dit...

— J'ai oublié.

— Avec qui as-tu un rendez-vous?

— Avec des copains. Tu ne connais pas.

— Tu rentres déjeuner?

— Ne m'attends pas.

— Et dîner?

— Je ne sais pas encore.

Quatre mots avaient changé la face du monde. Les objets s'attristaient dans une lumière de soupirail. Aurelio se rasa, se coiffa, s'habilla pour d'autres. Le pull-over bleu accentuait le modelé sec de son visage. Fin prêt, il tendit la main à André :

— Ciao.

André se rappela leur séparation dans ce bistrot de Fayence, alors que le camion jaune attendait, moteur en marche. Tout à coup, il fut seul, dépossédé, dévalisé, au début d'une journée grise. Le dépit lui obstruait la gorge. Sa belle énergie tombait en quenouille. Pour passer le temps, il se mit au ménage. L'appartement en avait grand besoin. Après le balai, le chiffon. Il allait d'un meuble à l'autre, déplaçait les objets, s'étonnait de la poussière accumulée, essuyait, frottait avec la sombre rage de rendre propre et de se fatiguer. Quand Aurelio reviendrait, ces murs familiers respireraient la fraîcheur. Mais que d'heures à attendre, que de minutes à tuer! Jamais encore André n'avait connu devant un être la dévorante attirance qu'il éprouvait pour celui-ci. Les aventures qu'il avait eues jadis n'étaient que de fugaces rencontres, des amusements de garçons, en comparaison de l'envoûtement qu'il subissait aujourd'hui. En général, il n'était guère tourmenté par les exigences physiques. Une tendre camaraderie lui suffisait. Avec Constantin, par exemple, il s'était toujours cantonné dans les limites banales de l'affection. Comment se faisait-il que lui, si calme d'habitude, fût à ce point troublé par les souvenirs de la nuit? Quand il évoquait ces instants, il ne percevait qu'une suite d'images violentes et décousues. L'incendie. Il descendait une échelle en portant un adolescent dans ses bras. Tout à coup, il se vit dans une glace, un torchon à la main, le ventre rond, l'œil stupide. S'il parlait, une voix de femme sortirait de ses lèvres. Il se fit horreur. Tant qu'il n'aurait pas perdu cinq ou six kilos... Il reprit son travail avec plus d'ardeur, comme si cet exercice dût lui rendre la sveltesse de ses dix-huit ans. A trois heures, victorieux et écœuré, au milieu d'un appartement rangé comme il ne l'avait jamais été, il décida brusquement de prendre le train pour Savigny-sur-Orge.

Sa sœur, qui ne l'attendait pas, l'accueillit avec allégresse. Apprenant qu'il n'avait pas déjeuné, elle lui servit une aile de poulet froid. Il détestait le poulet froid et, chaque fois qu'il arrivait à l'improviste, il n'y avait, comme par un fait exprès, rien d'autre dans le réfrigérateur. Il mangeait, caressait les chattes, regardait les sièges tendus de tissu à fleurs, les rayons ployant sous le poids des livres, et tout, mystérieusement, le ramenait à sa hantise : Aurelio! Comme Coriandre l'interrogeait sur sa vie, il s'entendit murmurer :

— Je crois que je suis amoureux.

— Je le connais? dit-elle.

— Non, c'est un garçon dont j'ai fait la connaissance dans le Midi...

Il lui raconta la suite. Elle l'écoutait, sérieuse, maternelle.

— Tu sais, dit-il, Aurelio est un être extraordinaire. Je vais essayer de te l'amener. Mais on ne lui fait pas faire ce qu'on veut!

Il le dit avec une sorte de fierté. Elle lui posa la main sur le genou. Les yeux dans les yeux, elle n'avait pas besoin de parler pour qu'il comprît sa tendresse et sa crainte. Ne mettait-il pas trop de cœur dans cette aventure? N'allait-il pas souffrir en pure perte? Il répondit par un sourire à ces questions muettes.

— C'est comme ça, dit-il. Je suis incapable de penser à l'avenir. J'aime vivre dangereusement... Si tu savais comme je suis heureux avec lui!

Coriandre acquiesça de la tête; elle comprenait tout; elle était une plaine ouverte aux quatre vents. Il l'embrassa, les larmes aux yeux. Et soudain il songea qu'Aurelio était peut-être revenu à la maison dans l'intervalle. Du coup il ne tint plus en place. Coriandre n'essaya même pas de le garder à dîner.

A son retour, il trouva l'appartement vide, propre et froid. Pourquoi s'était-il tant dépêché? Son désœuvrement l'accabla. Aurelio ne rentra qu'à deux heures du matin.

8

Il ne restait rien de l'ancienne « Mazurka ». Entre deux métamorphoses, la salle offrait à la lumière crue des lampes électriques la grise nudité de ses murs. En revanche, les tables où, quelques heures auparavant, des clients soupaient encore, disparaissaient à présent sous une avalanche de bouts de papier-métal et de lamé vert et argent. Feuilles, fleurs et lianes, découpées d'avance, étaient rangées par espèces avant leur utilisation. Peu soucieux d'exactitude botanique, André s'était abandonné à son inspiration pour créer cette flore aux dentelures méchantes. Un brasier de flammes végétales était né de ses ciseaux. Maintenant il s'agissait de tout mettre en place. Commencée à deux heures du matin, après la fermeture de la boîte, la décoration devait être terminée dans l'après-midi, avant la réouverture. L'idée de ce tour de force nocturne excitait l'enthousiasme de la petite troupe. Sous les ordres d'André, tout le personnel de l'établissement — des garçons à la dame du vestiaire — participait à l'ouvrage. Qui collait, qui cousait, qui gaufrait des feuilles sur un crayon. Arrivée la veille d'Aix-en-Provence, Sabine avait voulu, elle aussi, se rendre utile. Elle montait des fougères arborescentes sur des fils de fer qu'Aurelio, assis à côté d'elle, tordait et coupait. Absorbés par leur besogne, ils ne se parlaient pas. Charlotte passait de groupe en groupe, éperdue d'impatience et de gratitude. Debout sur la banquette, André maniait l'agrafeuse et fixait au mur, à petits claquements, la toile marbrée d'émeraude, d'ocre et de roux, qui devait suggérer d'inquiétantes profondeurs forestières. Une fois le tissu tendu, il s'occupa de dresser, par-devant, les plantes destinées à envelopper les dîneurs de leur exubérance. Courant d'un bout à l'autre de la salle, il suscitait ici une explosion de feuilles lancéolées, là un écheveau de racines barbares, ailleurs une fleur vénéneuse ou la découpe vernissée d'une palme. Aurelio, qui l'avait rejoint, lui passait les épingles, les punaises, les brins de fil de fer dont il avait besoin avant même qu'il ne les réclamât. Cette efficacité silencieuse dans le travail réjouissait André comme une preuve supplémentaire de leur entente. Charlotte s'extasiait :

— C'est génial ! Purement génial !

Avant d'entreprendre la décoration, Aurelio lui avait parlé d'un ton très ferme. Il demandait cinq mille francs. Elle avait transigé à quatre. Cette discussion de gros sous avait mis André au supplice. Mais maintenant il était fier qu'Aurelio eût réussi. Ce garçon avait, pensait-il, des qualités exceptionnelles d'intelligence, de décision et d'humour. Quelle plénitude et quel équilibre dans leur nouvelle vie à tous deux! Peu importait que les événements de cette nuit mémorable ne se fussent pas encore renouvelés. Elle les avait à jamais rapprochés l'un de l'autre. Ils n'avaient plus besoin d'un contact physique pour connaître la volupté de la communion. Le véritable amour se situe au delà du plaisir. Leurs mains se touchèrent.

— Passe-moi du fil vert.

— Voilà.

Cela aussi, c'était le bonheur!

A quatre heures du matin, Charlotte fit servir un petit beaujolais, du saucisson et des rillettes. On cassa la croûte en pleine forêt vierge. Le verre à la main et la bouche pleine, André donnait des indications à Aurelio qui, juché sur une échelle, accrochait les lianes de chanvre dans les branchages de carton.

— Non, comme ça c'est affreux!... Plus bas... Encore plus bas... Tu y es!... Maintenant remonte celle qui est derrière!...

Dans le domaine du trompe-l'œil, son autorité ne connaissait pas de limites. La création de ce paysage éphémère le grisait. Bientôt tout le monde fut fatigué, sauf lui. Le personnel se dispersa aux premières lueurs de l'aube. Charlotte monta se coucher (elle habitait un studio au-dessus de la boîte). Sabine, étendue sur une banquette, regardait, fascinée, André et Aurelio qui luttaient contre les dernières feuilles de la forêt tropicale. André voulut la renvoyer chez elle. Mais elle refusa de partir. Elle avait un visage de fillette, les yeux battus, la lèvre molle. Charlotte redescendit vers une heure de l'après-midi. On déjeuna dans la salle mal éclairée. A trois heures, un électricien vint tirer des câbles et faire quelques branchements provisoires. Soudain toutes les lampes, dissimulées dans le sous-bois, s'allumèrent. Un cri d'admiration jaillit des poitrines. André lui-même était étonné du résultat. Chacun y alla de son compliment. Aurelio dit :

— Oui, c'est pas mal.

Et André le remercia d'un regard. De tout ce qu'il avait entendu, seules comptaient ces paroles sobres. En général, il attachait peu d'importance aux éloges de son entourage. Il avait déjà remarqué que ceux-là mêmes qui appréciaient le plus son talent ne le prenaient pas au sérieux. Oui, nombre de gens admiraient ses tableaux et personne ne se décidait à lui en acheter, malgré ses succès dans l'aménagement de « la Mazurka », aucun autre cabaret, aucun théâtre, aucune production cinématographique ne faisait appel à lui comme décorateur. Pour tous, en dépit de ses réussites passées, il était un amateur, un fantaisiste. Un fossé le séparait des professionnels au front lourd et aux activités tarifées. Tout se passait comme si, à trente-cinq ans, il n'avait pas encore trouvé sa place dans la société. Au vrai, il ne lui déplaisait pas de se sentir ainsi disponible. Il eût détesté être prisonnier d'un personnage, d'un métier, d'une réputation. Sa chance était peut-être de n'en avoir pas eu, au sens où l'entendent les artistes arrivés qui se retournent sur leur carrière et en numérotent les étapes. Il contemplait la forêt aux transparences superposées et cet énorme découpage réjouissait en lui l'enfant qu'il n'avait jamais cessé d'être. Quand tout fut fini, Charlotte, transportée, l'embrassa.

Il fut étonné de trouver le grand jour dans la rue. Ces passants affairés, ces hautes maisons, ce ciel livide, ces autos étaient moins réels que la forêt vierge de « la Mazurka ».

— Tu aurais pu me prévenir plus tôt! dit André. Coriandre sera désolée!

— Mais non, puisqu'elle te verra, toi! dit Aurelio.

— Ce n'est pas la même chose. Elle nous attendait à déjeuner tous les deux. Elle t'aime beaucoup.

— Moi aussi, je l'aime beaucoup. Mais je ne veux pas courir à Savigny toutes les fois qu'elle s'emmerde! Sa seule distraction, c'est toi et les copains que, de temps à autre, tu lui amènes. Au fond, sous des dehors très désintéressés, elle ne pense qu'à elle!

— Bon, dit André, je vais lui téléphoner que nous ne pouvons pas...

— Toi, tu peux.

— Je préfère sortir avec toi.

— Aujourd'hui, c'est impossible.

— Pourquoi?

— Ce que tu peux être collant! grommela Aurelio. J'ai à faire de mon côté, occupe-toi du tien, voilà tout! Tu m'énerves à être toujours après moi!

Il avait mis le costume neuf — drap marron à fines raies blanches — qu'ils avaient acheté ensemble, en « demi-confection », grâce à l'argent de Charlotte. Sa cravate, sa chemise, ses chaussures étaient également neuves. Mais il portait le tout avec une telle élégance, qu'il était difficile de l'imaginer habillé autrement. Inutile de lui demander quand il rentrerait. Il avait horreur des contrôles. C'était dans la mesure où André le laisserait libre en apparence qu'il le retiendrait en réalité. Le meilleur d'un être n'est pas ce qu'il disperse à l'extérieur, dans la journée, mais ce qu'il rapporte à la maison, le soir. Aurelio se regarda une dernière fois dans la glace avec une sévérité satisfaite et dit :

— T'as pas cinquante francs?

— Si, dit André. Tiens...

En tirant le billet de sa poche, il s'étonna de constater qu'il lui restait si peu d'argent. Bah! il trouverait bien à se renflouer, d'une manière ou d'une autre.

— Ne m'attends pas, dit Aurelio sur le seuil de la porte.

Et, à partir de cet instant, André commença à l'attendre. Il ne voulait pas s'absenter par crainte de manquer son retour. D'abord il téléphona à sa sœur pour se décommander, sous prétexte de travaux à exécuter d'urgence à la « Mazurka ». « Quel dommage! s'écria-t-elle. J'avais tout préparé... Oui, un poulet aux amandes... Vraiment tu ne peux pas te débrouiller? » Elle appuyait sur la plaie. Il tint bon, avec un sentiment de honte. Puis, ayant sacrifié « la famille », il se trouva tout désemparé au creux de la vague. Après avoir tourné en rond dans l'appartement, il essaya de dessiner, pour passer le temps. Mais son regard naviguait dans la chambre, sa main s'engourdissait sur le crayon. Au lieu de s'intéresser au trait sur la feuille blanche, il se revoyait avec Aurelio à la banque, présentant à l'encaissement le chèque de Charlotte. Lui-même n'avait jamais eu de compte nulle part. Ces guichets vitrés, ces affiches d'emprunts, ces formules sacramentelles : « Bon pour acquit », ces signatures, on était dans le royaume des grandes personnes! Ici, les chiffres tenaient lieu de conscience. Clients et employés avaient le même visage d'addition. Quelle joie, lorsqu'en échange d'un bout de papier numéroté le caissier avait aligné les liasses de billets tout neufs! Aussitôt on s'était précipité dans les magasins. Aurelio, les yeux brillants, avait envie de tout, mais, au moment du choix, c'était lui qui se montrait le plus difficile. Il avait longtemps hésité avant de commander ce costume marron qui lui allait si bien. Quand donc l'avait-il mis pour la première fois? Ah! oui, à un dîner chez Gérard. Claudia et Sabine lui en avaient fait compliment. Toutes deux le regardaient avec une admiration qui flattait André. Coriandre aussi l'avait trouvé à son goût. Pourquoi avait-il parlé d'elle, tout à l'heure, avec acrimonie? Souvent il ne mesurait pas le mal qu'il faisait par quelques mots lancés à la légère. Le fond de son caractère était généreux, sensible, mais on eût dit qu'un démon le poussait parfois à piquer les êtres qui lui étaient chers. Il l'avait froissé, blessé, dans son amour pour Coriandre. Elle n'était pas une égoïste, une accapareuse, comme il la dépeignait, mais une créature toute de bonté et de dévouement, de tolérance et de réserve, qui n'exigeait jamais la moindre contrepartie à ses mouvements d'âme.

André regrettait de n'avoir pas répondu du tac au tac à Aurelio, sur le moment. Il regrettait aussi de n'être pas allé déjeuner chez sa sœur. Pauvre, douce, discrète Coriandre!... En revanche, il comprenait qu'Aurelio lui reprochât, à lui, d'être « collant ». Il avait beau se surveiller, sa présence ne pouvait être que pesante pour Aurelio. « Même quand je le laisse courir à sa guise, il doit se sentir tenu en laisse par l'affection que je lui porte. Est-ce ma faute si je manque de mesure dans mes attachements? » Il se jugeait de plus en plus coupable. Et cependant il savait que, si Coriandre le rappelait au téléphone, il refuserait, cette fois encore, de la rejoindre. Il continua de crayonner, sans nécessité et sans plaisir, l'oreille aux aguets, déchirant un dessin après l'autre.

Aurelio ne rentra pas pour le dîner. André mangea debout, dans la cuisine, un restant de fromage et un quignon de pain, se coucha, ouvrit un livre.

Dix fois dans la nuit, il se réveilla, croyant

entendre une clef dans la serrure. Au matin, la couche d'Aurelio, par terre, était toujours vide. André refusait de s'inquiéter. La vie des jeunes, pensait-il, est une succession de foucades. Si l'on veut être de plain-pied avec eux, il ne faut surtout pas s'étonner de leurs écarts. C'est en les jugeant avec la raison et les nerfs de notre âge, que nous risquons le plus de nous méprendre sur leur compte et de les décevoir. Tout en se répétant ces axiomes élémentaires, il piétinait, écœuré de désœuvrement et d'angoisse, entre quatre murs. A dix heures et demie, le téléphone sonna. Ce n'était pas Aurelio, mais Sabine. Elle avait une voix joyeuse.

— Où es-tu? dit-il.

— A Feucherolles. Je voudrais que tu viennes.

— Je ne peux pas. J'attends Aurelio.

— Mais, André, Aurelio est à côté de moi!

— Ah bon! murmura-t-il, et un vide se fit dans sa tête.

— Oui, reprit Sabine, hier nous avons passé la soirée ensemble et il est venu dormir à la maison... Il faut absolument que tu t'arranges pour nous rejoindre. Maurice et Germaine sont en voyage. Il fait un temps splendide. Allez, radine! On s'ennuie sans toi!

— Que dit Aurelio?

— Il dit que tu te grouilles et que tu lui apportes son blue-jean et ton pull bleu!

9

Des deux côtés du chemin, s'alignaient des arbres serrés coude à coude, rangés par taille et par essence, étiquetés dans l'attente du client. Ici, les tilleuls, là, les hêtres, plus loin, les bouleaux... La terre était poudrée de grésil. Un soleil de glace brillait dans le ciel nu. Le vent rasait les visages. La jeep, pilotée par Aurelio, avançait à grands cahots sur la piste aux ornières gelées. Une secousse plus forte que les autres. La tête de Sabine oscilla violemment. Elle éclata de rire et se tourna vers André, pelotonné sur la banquette arrière :

— Ça va?

— Très bien! Mais on pèle de froid!

— C'est amusant, non?

Il remonta le col de son anorak sur ses oreilles qui cuisaient. L'anorak appartenait au beau-père de Sabine. C'était à lui également qu'appartenait la vieille « canadienne » dont s'était affublé Aurelio. Sabine, elle, avait enfilé trois pull-overs sous sa veste imperméable et enfoncé un bonnet sur sa tête. Ainsi accoutrée, elle avait triplé de volume. Une Esquimaude. André souffla dans ses mains. Une buée sortit de sa bouche. Pourquoi Aurelio ne lui avait-il pas dit, hier, qu'il avait rendez-vous avec Sabine? Pourquoi Sabine, de son côté, lui avait-elle caché qu'elle devait voir Aurelio? Peut-être l'avait-elle rencontré par hasard, la veille? André voulait le croire, de toutes ses forces, pour préserver sa confiance en eux. Il préférait ne pas leur poser de questions. Il se sentit seul au monde. Trahi, désarmé, inutile. Non parce que Aurelio et Sabine avaient couché ensemble. Mais parce qu'ils l'avaient fait derrière son dos. Ils paraissaient endimanchés dans leur bonheur tout neuf. Epaule contre épaule et riant pour un rien. Ne devaient-ils pas fatalement se plaire, puisqu'il les avait choisis tous deux? L'amitié qu'il avait pour eux les destinait l'un à l'autre. Il était le sommet d'un triangle de désirs.

— Tourne à droite maintenant, dit Sabine.

Aurelio obéit et la jeep s'engagea dans une allée bordée d'arbres fruitiers rabougris, aux branches nues. Puis de nouveau surgit une sombre société de conifères. Des ouvriers travaillaient à mettre en bac un grand sapin bleu. Le contremaître salua Sabine.

— Bonjour, Clément, dit-elle.

Soudain André se rappela le cèdre du Liban qu'il avait vu planter dans cette propriété, près de Fayence, alors qu'Aurelio n'était encore, pour lui, qu'un passant. C'était une époque si lointaine, si vide, à peine concevable... La pépinière n'en finissait pas. Etrange parc où les arbres n'avaient pas le droit de pousser comme ils voulaient, mais se groupaient par familles, les grands d'un côté, les petits de l'autre. Une impression de monotonie militaire naissait de ces alignements.

— Si on allait visiter la roseraie, proposa Aurelio.

— En cette saison, tu ne verrais que des bouts de bois, dit Sabine. Non, il fait décidément trop froid. On rentre!

La jeep quitta la piste, faillit verser dans un caniveau, passa devant un énorme écriteau : « Berthier, pépiniériste-horticulteur-paysagiste », et accéléra son allure sur la route. On mit pied à terre devant les baraquements vitrés des bureaux. Derrière la baie, une secrétaire surveillait la cour en tapant à la machine.

La maison se trouvait à trois cents mètres de là, dans le village. Derrière le porche en pierres meulières, la bâtisse apparut, basse et blanche, au fond d'un triste jardin hivernal. Le toit d'ardoises, très incliné, descendait sur des fenêtres à petits carreaux. Un perron courbe de trois marches conduisait à la porte d'entrée. André, qui était transi, fut tout heureux de boire une tasse de thé devant la cheminée du salon où brûlait un feu de bûches. Mais Aurelio ne tenait pas en place. A peine réchauffé, il s'écria :

— On y retourne?

— Ah! non, dit Sabine. Ça suffit comme ça!

— Moi, j'ai envie de m'amuser un peu avec la jeep! Elle est du tonnerre! Quel tape-cul!

— Eh bien! vas-y, dit André.

Aurelio partit seul en les traitant de « débris fossilisés ». Dans le silence qui suivit, André se sentit mal à l'aise. Enfoncé dans un gros fauteuil de cuir, les pieds sur les chenets, une tasse de thé à la main, il n'était plus à côté de Sabine mais d'une inconnue. A sa droite, au-dessus d'un guéridon, pendait un tableau de lui — hortensia aux deux grosses têtes blanches ahuries. M. Berthier le lui avait acheté l'année précédente, sur les instances de sa belle-fille, non sans avoir critiqué la représentation morphologique de la plante. André trouvait cette nature morte dénuée de rayonnement. Le reste de la pièce était voué à l'acajou, aux estampes anglaises et aux pots d'étain.

— Décidément il faudra que je te donne un autre tableau pour remplacer celui-ci, dit-il. C'est trop mauvais!

— Maurice ne voudra jamais, dit Sabine. C'est qu'il y tient, à son hortensia! Un moment, il a même pensé en faire la couverture de son catalogue.

De nouveau, le silence, montant comme l'eau dans un sas. La vieille Antoinette entra avec une provision de bûches pour le feu. Elle emporta le plateau. Quand elle fut partie, André murmura :

— Pourquoi m'as-tu caché ton aventure avec Aurelio?

Et aussitôt il regretta d'avoir parlé. Il

s'était pourtant juré de ne pas poser de questions.

— Je ne t'ai rien caché, dit-elle calmement. La preuve, c'est que tu es là!

— Tu l'aimes?

— Non.

— Comment ça, non?

— Le jour où je serai amoureuse, moi!...

— Alors je ne comprends pas... C'est donc... c'est donc comme pour Paul?...

— Presque... En mieux, tout de même... Pourquoi cette tête bouillie?... Ça t'ennuie que j'aie fait l'amour avec Aurelio?

— Pas du tout! s'écria-t-il. Je vous aime tellement, tous les deux! Il va habiter ici?

— Certainement pas! Maurice ferait un de ces nez!... Et Germaine alors...! Hier soir, nous avons beaucoup parlé de toi, avec Aurelio... Si tu savais comme il t'estime, comme il tient à toi!... Il m'a dit des choses très justes sur ton caractère, sur ta façon d'être...

— Quoi, par exemple?

— Que tu crées autour de toi une atmosphère très particulière... On te croit faible et, à force de bonté, tu t'imposes aux gens, tu te les attaches, tu files autour d'eux un cocon de douceur, dont ils ne peuvent plus s'évader... Ils se figurent qu'ils te dominent, et c'est toi qui les tiens...

Tandis qu'elle parlait, il se sentait comme attendri dans un bain chaud. Tout ce qui était crispé dans son corps, dans son cœur, se déliait joyeusement. L'amour et l'amitié échangeaient leurs emblèmes. Le feu brillait plus clair que tout à l'heure. Il n'y avait pas de bornes imposées aux sentiments. Sabine monta se changer et redescendit, métamorphosée en princesse orientale, dans une robe d'intérieur en soie orange à passementerie émeraude. André la préférait dans sa tenue de sport. Mais il ne le lui dit pas. Sans doute avait-elle voulu se faire belle pour Aurelio. A moins que ce ne fût pour eux deux. Elle lui proposa une partie de « scrabble ». Ils s'assirent par terre, devant une table basse, et s'affrontèrent mot pour mot, en se reprochant mutuellement, comme d'habitude, leurs fautes d'orthographe.

— Si on vérifiait dans un dictionnaire, suggéra André. Ici, au moins, il y en a un!

— C'est plus amusant comme ça! décréta Sabine.

Antoinette vint prendre les ordres de Mademoiselle pour le dîner.

— Merci, ma brave Antoinette, dit-elle. Mais je n'ai plus besoin de vous pour ce soir. Nous nous débrouillerons!

Elle compléta le dernier mot du « scrabble » en posant les lettres une à une, à petits gestes précieux, comme elle eût planté des fleurs dans un vase.

Ils entamaient la revanche, lorsque Aurelio revint, la face marbrée de froid et les souliers crottés. En apercevant Sabine dans sa robe d'intérieur, il poussa un sifflement sur deux notes.

— Que tu es belle! dit-il en la forçant à se lever et en lui écartant les bras du corps comme pour mieux admirer sa silhouette. N'est-ce pas, André?

— Oui, dit André, elle nous éclabousse de son élégance. Nous aurions dû apporter nos smokings.

Elle se dégagea, pivota sur ses talons avec grâce et se rassit devant le « scrabble ».

Débarrassé de sa « canadienne », Aurelio s'accroupit en tailleur, le dos aux flammes, à côté de Sabine, pour l'aider de ses conseils. A eux deux, ils précipitèrent la défaite d'André. Sabine avait le feu aux joues. Ses prunelles brillaient, comme huilées. Sa bouche entrouverte respirait la joie de plaire. Elle se tournait tantôt vers André, tantôt vers Aurelio, et parlait avec volubilité. Il était tard. Bien entendu, ils allaient rester coucher à la maison. Mais que faire pour le dîner? Un conseil de guerre se tint dans la cuisine, d'où Antoinette avait été préalablement expulsée. Après inspection du réfrigérateur, Aurelio proposa une « fondue bourguignonne », dont il se réservait de préparer les sauces. Comme André mettait en doute ses talents culinaires, il s'écria :

— N'oublie pas que j'ai fait l'école hôtelière!

— C'est peut-être vrai, dit André. On ne sait jamais avec lui!

Pour sa part, il se contenta de découper la viande crue en petits dés. Sabine apporta les ingrédients. Manches retroussées, Aurelio officiait avec une gravité d'alchimiste. Il salissait une quantité énorme de vaisselle. Quand tout fut prêt, on mangea dans la cuisine. Chacun, à tour de rôle, piquait un bout de viande sur une fourchette en bois, le plongeait dans l'huile bouillante de la casserole et le trempait pour finir dans l'une des trois sauces préparées par Aurelio. Elles étaient si fortes, que la bouche s'enflammait au contact de toutes ces épices. Il fallait vite boire un verre de vin pour éteindre l'incendie. Et, une fois le vin bu, l'appétit renaissait.

André se sentait devenir lentement ivre d'alcool, de chaleur et d'amitié. Il eût voulu rester des heures dans cette vaste cuisine blanche, à la hotte profonde et aux cuivres rutilants, devisant avec Aurelio et Sabine, et baignant ses morceaux de viande dans la même huile qu'eux. Tout à coup le plat fut vide. Ils se jetèrent sur des oranges pour se désaltérer. Et cela aussi était bon.

La chambre d'amis était surchauffée. Aurelio ouvrit la fenêtre pour changer l'air. Une nuit froide et pure se déversa d'un flot tranquille dans la pièce. André remonta sa couverture jusqu'au cou.

— Ferme, dit-il, ça suffit.

— Encore cinq minutes.

Une tablette séparait les deux lits jumeaux. Aurelio s'assit sur le sien, les coudes aux genoux. Il était en slip, le torse nu. La lampe de chevet éclairait ses épaules au grain poli, à la courbe puissante et douce.

— Tu le connais, ce Paul? dit-il soudain.

— Vaguement, dit André.

— Comment est-il?

— Physiquement, pas mal. Mais je ne le crois pas très intelligent.

— Sabine est amoureuse de lui?
— Non, d'après ce qu'elle m'a dit. Pourquoi me demandes-tu ça?
Sans répondre, Aurelio se leva, alla fermer la fenêtre, se rassit.
— Tu aurais sans doute préféré que je rentre à Paris, ce soir, balbutia André.
— Pas du tout. Pourquoi?
— Ça t'aurait permis de passer une autre nuit avec elle. J'ai l'impression que je te gêne...
— Mais non.
— Alors dépêche-toi d'aller la retrouver. Tu ne vas pas dormir ici à cause de moi, tout de même!
Aurelio ne bougea pas, le visage dur, le regard fiché en terre. André s'assit dans son lit et alluma une cigarette.
— Sabine, que représente-t-elle pour toi? reprit-il. Une coucherie?
— Non, dit Aurelio d'une voix sourde. C'est beaucoup plus important que ça.
— Alors explique-moi.
Aurelio secoua la tête. Ses cheveux balayèrent son front.
— Il n'y a rien à expliquer, dit-il. Je ne sais pas ce qui m'arrive...
— Tu aimes faire l'amour avec elle?
— C'est extraordinaire!
Aurelio prononça ces mots avec une force contenue, l'air à la fois affamé et méchant. Quelle passion dans ce visage incliné, dont l'ombre dérobait la partie inférieure! André le considérait avec surprise, avec tristesse, et tâchait de le suivre dans la forêt enchevêtrée de

ses sentiments. Mais comment eût-il pu le comprendre, alors que lui-même n'avait jamais fait l'amour avec une femme? Ces corps lisses, aux rondeurs molles et au bas-ventre amputé, lui faisaient peur. Il ne pouvait imaginer sans frémir un contact avec une chair d'essence si différente. Pourtant il n'était pas insensible à la grâce d'une silhouette féminine. Rien ne le charmait et ne le distrayait comme la compagnie des femmes. Il était à l'aise parmi elles, à condition de ne pas penser à l'amour. Sabine et Aurelio, leurs membres confondus, leur combat saccadé, leurs halètements, leurs râles... Abaisser un rideau de fer entre lui et cette vision.

— Alors, qu'allons-nous devenir, toi et moi? demanda-t-il.

Lentement, Aurelio releva la tête.

— Ecoute, mon vieux, ne me complique pas la vie, murmura-t-il. Je viens de te le dire : Sabine, je ne sais pas au juste ce que c'est... Un coup de folie, un éblouissement... Demain, je vais peut-être me réveiller et elle n'existera plus... Tandis que toi et moi, c'est sûr, c'est solide... L'amitié de deux hommes, je ne voudrais pas l'abîmer à cause d'une femelle, tu comprends?... Je vais même t'avouer une chose : si je sens que je deviens amoureux de Sabine au point de perdre mon indépendance, je la fuirai comme la peste... Toi, c'est différent... Je suis bien, près de toi... Comme un poisson dans l'eau... Rien ne me gêne... Je m'épanouis, je m'affirme, je grandis, je me cultive... Tu ne te rends pas compte de tout ce que tu m'apportes...

André se rappela ce que Sabine lui avait dit au sujet de ce « cocon de douceur » qu'il filait, paraît-il, autour des êtres qui lui étaient chers. Un apaisement se fit en lui. Il n'avait plus envie de s'effacer, mais de s'affirmer. Il ne rêvait plus de séparer Sabine et Aurelio, mais de les unir.

— Tiens, ce soir, reprit Aurelio, c'est avec toi que je veux rester. Ça ne signifie pas que je n'ai plus envie de Sabine. Au contraire! Mais c'est plus fort que moi, je ne pourrais pas la rejoindre dans sa chambre en te sachant ici, à deux pas...

— Tu vois bien que j'aurais mieux fait de partir! dit André.

— Non!

— Je m'en irai demain matin.

— Moi aussi. Nous retournerons tous les deux chez nous, rue Saint-Honoré.

Ce « chez nous » bouleversa André.

— Et Sabine? dit-il.

— Quoi, Sabine? Il n'y aura rien de changé. Je continuerai à la voir. Aussi longtemps que ça nous plaira, à elle et à moi. Y a pas de problème!

— C'est vrai qu'il fait chaud dans cette piaule, dit André.

Il se leva, s'approcha de la fenêtre et colla son front au carreau. Un jardin mort au clair de lune. Que faisait Sabine, dans sa chambre? Attendait-elle la visite d'Aurelio? Ou était-ce elle qui n'avait pas voulu le recevoir, cette nuit? Ils avaient déjà leurs conventions, leurs secrets, presque leurs habitudes. André souffrit bizarrement d'une impression de rejet, d'exclusion. La main d'Aurelio se posa sur son épaule.

Au milieu de la nuit, André se réveilla, frappé par une brusque sensation de déséquilibre. Le silence de la chambre lui parut inquiétant. Il alluma la lampe de chevet. Le lit d'Aurelio était vide.

10

Une touche de rose sur la pommette de la femme au balcon. Le dessin, rechaussé d'aquarelle, était certes un peu mièvre. Mais, tel quel, il plairait aux clients de la « Mazurka ». Les fonds étant très bas, il fallait songer à réalimenter la caisse. André recula la tête pour juger de l'effet, tira deux bouffées de sa cigarette et, d'une caresse de pinceau, anima la bouche. Un trait sinueux, à peine perceptible. Quelle paix dans l'appartement! Aurelio ne rentrerait pas déjeuner. Il avait rendez-vous avec Sabine. Sans doute iraient-ils faire l'amour à Feucherolles ou ailleurs. Et s'il passait un lavis sombre sur le dessin pour en noyer les contours? Suggérer la présence au lieu de l'affirmer. Laisser le regard du spectateur faire la besogne du peintre. En tout cas, il travaillait très bien dans cette grande pièce. Et Aurelio paraissait si content de son installation dans l'atelier! Il y avait placé son matelas, une lampe de chevet sur une table basse, l'électrophone, quelques tableaux d'André pour décorer les murs. Ses vêtements s'entassaient sur une chaise. C'était son univers à lui, sa coquille... Huit jours que le ménage n'avait pas été fait dans la maison. La vaisselle sale s'empilait sur l'étagère de la cuisine. On verrait plus tard. Non, il n'estomperait pas la figure de la femme. Ce serait fabriquer du mystère à bon compte. Un art digne. Voilà vers quoi il fallait tendre. Même lorsqu'on peignait pour la clientèle des boîtes de nuit. Son principal défaut, c'était une habileté de jongleur. Il éteignit sa cigarette dans une soucoupe, posée par terre. La cendre amoncelée débordait sur le tapis. Le pinceau voltigeait, léger comme une mouche. André se pencha vers le chevalet et, soudain, derrière le visage de la femme, apparut le visage d'Aurelio.

— Tiens, te voilà! dit André. Je ne t'attendais pas avant ce soir!

— Quelle salope! dit Aurelio en jetant son caban sur le divan. Une heure! Une heure, j'ai poireauté dans son bar à la con!

Il enjamba la boîte d'aquarelle.

— Tu crois qu'elle n'aurait pas pu téléphoner? reprit-il.

— Ne gueule pas comme ça, dit André.

— Si je gueule, c'est que ce n'est pas la première fois que ça lui arrive. Un jour sur deux, elle est en retard. C'est un genre qu'elle se donne! J'en ai marre de ses salades! D'ailleurs je ne veux plus la revoir! Elle me casse les pieds!

Il avait un air furibond, la lèvre frémissante, l'œil noir flambant au fond de l'orbite. Dans un mouvement d'ouragan, il passa devant André, gravit les trois marches qui conduisaient à l'atelier et rabattit la porte sur lui avec violence. André regarda sa montre : une heure vingt. Il descendit à la charcuterie, acheta deux côtes de porc (Aurelio les aimait tant!), deux portions d'épinards, remonta avec ses provisions et se mit à faire la cuisine. Une pointe d'ail. Il appela :

— Aurelio, viens manger.

— Fous-moi la paix! cria Aurelio à travers la porte.

André mangea sa côte de porc debout devant le réchaud, et trempa son pain dans le jus de la poêle. Après une minute d'hésitation, il décida de laver quelques assiettes. La sonnerie du téléphone le fit sursauter. Immédiatement il pensa à Sabine. C'était elle, en effet :

— Est-ce qu'Aurelio est là?

Il se troubla, jeta un regard par-dessus son épaule et répondit mollement :

— Attends... je ne sais pas...

— Comment tu ne sais pas?...

— J'étais descendu faire des courses... Je rentre à l'instant... Je vais voir...

Il posa l'appareil et entrouvrit la porte de l'atelier. Aurelio était étendu sur le dos, en travers du matelas, les jambes croisées, la cigarette aux lèvres.

— C'est Sabine, chuchota André.

— Dis-lui que je l'emmerde.

— Tu ne veux pas lui parler?

— Non.

André, perplexe, reprit le combiné en main :

— Il ne peut pas venir à l'appareil.
— Pourquoi?
— Il est sous la douche.
— Alors j'arrive.
— Ce n'est pas le moment... Je crois qu'il doit repartir tout de suite... Ecoute, Sabine...
Elle avait déjà raccroché. Il eut un geste fataliste et se remit à laver la vaisselle. Dix minutes plus tard, Sabine sonnait à la porte. André lui ouvrit avec, au cœur, une impression vertigineuse de catastrophe.
— Tu exagères de lui avoir posé un lapin, dit-il.
— Je ne lui ai pas posé de lapin. Il y avait un de ces embouteillages sur l'autoroute!... Quand je suis arrivée, il venait de partir.
— J'aime autant te dire qu'il n'est pas content!
— Moi non plus, je ne suis pas contente. Il aurait pu m'attendre, tout de même! Il est làhaut?
Elle gravit les marches, pénétra dans l'atelier et referma la porte sur elle. Aussitôt la dispute éclata. Derrière le battant les mots volaient comme des pierres.
André se rassit devant son chevalet. Il aurait dû, pensait-il, retenir Sabine ou, en tout cas, lui prêcher la conciliation. Si elle avait reconnu ses torts, la colère d'Aurelio aurait fondu et tout serait rentré dans l'ordre. Au lieu de quoi, elle osait lui tenir tête. Mieux, elle l'attaquait à son tour : « Pour qui te prends-tu? Moi aussi, j'en ai ras le bol! Des types comme toi... » Elle était folle de le pousser à bout. Avec son caractère entier, il

était capable de toutes les violences. La rupture était inévitable. Aurelio hurla : « Fous le camp!... » Elle répliqua : « Fous le camp toi-même! » Le cœur d'André tomba dans un puits. N'allaient-ils pas en venir aux mains? Un moment il songea à intervenir pour les séparer. Mais non, la discussion continuait à voix plus basse, haletante. Ils devaient se dire leurs quatre vérités, les yeux dans les yeux. Tant de haine après tant d'amour! Soudain le silence. Puis des chuchotements, des piétinements. Et, de nouveau, le silence. A croire qu'il n'y avait plus personne dans le réduit. André respira. Tout s'arrangeait. Au vrai, il n'en avait jamais douté. C'était par jeu qu'il s'était d'abord abandonné à la crainte. Il voulut se remettre à peindre. Mais sa pensée était ailleurs. Le pinceau à la main, il ne pouvait s'empêcher d'évoquer le corps d'Aurelio écrasant le corps de Sabine. Toute cette musculature virile en mouvement. Le jeu des reins, les mains puissantes et douces, la bouche dévorante qui se posait partout. Une révolte le saisit contre eux. Il leur en voulut de ce bonheur facilement retrouvé. C'était maintenant qu'il eût fallu les séparer et non pendant leur querelle. Il avait une boule de plomb dans la poitrine. Et pourtant il avait souhaité la réconciliation. Oui, tout était bien ainsi.

Il se leva, sortit de l'appartement, descendit dans la rue. Que faire? Le bistrot. Il s'attabla et commanda un café. Ses mains tripotaient la tasse et sa tête était encore là-haut. Il demanda un journal. Rien que des titres alarmants. Guerres lointaines, grèves, manifestations d'agriculteurs, désordres universitaires, crimes, discours, menace de hausse des prix... Le tumulte du monde l'effraya. Il détestait l'agitation publique, le heurt des opinions, les éclats de colère des intellectuels, à quelque bord qu'ils appartinssent. Comment des gens sensés pouvaient-ils se passionner à ce point pour l'actualité politique? Sur quoi fondaient-ils leurs convictions, puisqu'ils ne possédaient jamais toutes les données du problème qui les enflammait? Chacun avait raison et chacun avait tort. Et, au lieu de calmer cette dispute, les gazettes l'envenimaient avec leurs gros titres. Les Français marchaient en zigzag, éclaboussés d'encre d'imprimerie. Sur toute la surface de la terre, des hommes condamnaient d'autres hommes, au nom d'un principe, d'une foi ou simplement d'un calcul. A chaque pas, on se blessait à quelque chose de dur. L'univers était plein de pierres. Consciente du danger, la mère d'André avait toujours fermé la porte à la vie réelle. Ce qui comptait, pour elle, c'étaient le rêve, le jeu, le déguisement, les nuages... Il la revoyait, tirant les rideaux et allumant une baguette de santal pour créer l'atmosphère de « la bonne caverne », où nul ne pouvait entrer s'il n'avait le pied léger comme un songe. Etait-ce d'elle qu'il tenait cette horreur des évidences arithmétiques et des intransigeances doctrinales? Pour qu'il fût heureux, il fallait que, de temps en temps, deux fois deux ne fît pas quatre. Oui, l'important, c'était de préserver en soi la plus grande part possible d'enfance. Arracher les ronces autour de la source fraîche. Dégager chaque jour le sentier qui y mène. Sabine, il en était sûr, pouvait le comprendre. Mais Aurelio?... André passa plus d'une heure dans le va-et-vient des clients. Puis, jugeant qu'il avait assez attendu, il acheta des cigarettes et remonta dans l'appartement. Aurelio et Sabine, assis par terre, devant la table basse, partageaient la côte de porc restante et les épinards. Ils avaient, l'un et l'autre, un air épanoui et renouvelé. Une musique fracassante s'échappait de l'électrophone.

— Elle est rudement bonne, cette côte de veau! s'exclama Aurelio.

— C'est pas du veau, c'est du porc, observa André.

— Aussi je me disais, pour du veau...

— Toi alors, marmonna Sabine, on peut dire que tu as le palais fin!

— Où étais-tu passé? demanda Aurelio en levant la tête vers André.

— J'étais allé chercher des cigarettes, grommela André. Si j'avais su que Sabine resterait déjeuner, j'aurais acheté une autre côte de porc. C'est stupide!

— Ne t'en fais pas, dit Sabine, le porc à la confiture de fraises, c'est divin!

En effet, il y avait un pot de confiture ouvert, devant elle sur la table.

— Tiens, goûte! reprit-elle.

André repoussa le morceau de viande barbouillé de gelée rouge qu'elle lui tendait au bout de sa fourchette :

— Ah! non, alors! Quelle horreur!

Elle éclata de rire. Ses dents étincelèrent

dans son visage mat au nez court. Le morceau de viande disparut dans sa bouche. Elle le mâcha avec appétit et dit :

— Tu sais, André, c'est fou ce que ce polo vert bronze te va bien! Chaque fois que je te vois dedans, je suis amoureuse de toi!

— Ne lui dis pas ça, il ne va plus le quitter! s'écria Aurelio.

André haussa les épaules et suggéra de sortir. On donnait au Quartier latin un vieux film de Sternberg qu'il avait très envie de revoir. Ils arrivèrent tous trois au milieu de la séance. La salle était presque vide. Assis à côté d'Aurelio, André l'observait davantage qu'il ne regardait l'écran. Le profil dur, ciselé dans l'argent, se détachait sur un fond de ténèbres phosphorescentes. La main longue et sèche reposait sur la cuisse de Sabine.

11

Sur la table de bridge, couverte d'une nappe brodée, cadeau de Coriandre, André disposa une pile d'assiettes, des verres de toutes tailles et une quantité de couverts dépareillés. Les invités se serviraient eux-mêmes. Au menu, un couscous (il cuisait doucement sur le réchaud) et une salade de fruits qu'Aurelio achevait de préparer dans la cuisine.

— Ne coupe pas les fruits en trop petits morceaux, ça fera de la bouillie, dit André en se penchant sur le saladier.

— C'est trop petit, ça? dit Aurelio d'un air agressif.

— Un peu. Et puis tu mets trop de pomme.

— Eh bien! merde! Si ça ne te plaît pas, fais-la toi-même, ta salade!

— C'est drôle qu'on ne puisse pas te donner un conseil sans que tu te fâches!

— Tu crois toujours tout savoir mieux que

les autres, gronda Aurelio en coupant une banane en rondelles.

— C'est que j'ai beaucoup vécu, mon enfant, dit André sur le ton chantant d'un vieux conteur d'histoires.

Et il éplucha une orange pour l'ajouter au tas.

— Con! dit Aurelio.

Ils étaient tous deux en manches de chemise, une serviette sur le ventre. André souleva le couvercle de la marmite où cuisait le couscous : un parfum rustique s'en échappa. Il remua la semoule avec une fourchette, dans la passoire.

— Ils vont se régaler, dit-il gaiement.

L'idée de cette réception l'enchantait. Ayant vendu une petite toile à un ami de Gérard, il avait profité de cette rentrée d'argent pour inviter une dizaine de personnes. Comme d'habitude, il en viendrait le double. Aurait-on assez de vin, de whisky, d'eau Perrier, de Coca-Cola? André compta et recompta les bouteilles, les divisa par le nombre probable de consommateurs et s'embrouilla dans ses calculs. La poubelle débordait d'épluchures. Il était difficile de se mouvoir à deux dans la cuisine. Aurelio versa le kirsch sur les tranches de fruit, ajouta du gin, sucra et dit :

— Goûte!

— C'est amer, dit André en clappant de la langue.

— Moi, je trouve que c'est trop doux, dit Aurelio.

Ils se disputèrent encore, mais Aurelio finit par capituler et rajouta du sucre. En échange de cette concession, André accepta de descendre la boîte à ordures. Quand il remonta, Aurelio s'habillait.

— Et le cabinet de toilette? dit André. On ne va pas le laisser comme ça! C'est dégueulasse! Si quelqu'un veut se laver les mains...

— Fais ce que tu veux, dit Aurelio, moi, j'en ai marre!

André rangea le cabinet de toilette, essuya le bord du lavabo, rinça le receveur de douches. Sabine arriva, en avance, « pour aider ». Mais on n'avait plus besoin d'elle, tout était prêt. Elle s'assit sur le divan dans sa robe couleur mandarine, à manches fendues, avec un serpent doré en guise de ceinture. Aurelio mit l'électrophone en marche et esquissa un pas de danse. Il se balançait en mesure, ondulait des hanches, claquait des doigts avec une aisance sauvage. Sabine se leva et, à son tour, commença à danser. Face à Aurelio, elle était une algue caressée par le courant de la musique. André se retira dans le cabinet de toilette pour se changer. Les premiers invités arrivèrent alors qu'il donnait un coup de chiffon à ses chaussures. Soudain la pièce fut pleine de gens qui s'embrassaient, riaient et parlaient à voix haute. Claudia était venue sans Gérard, trop faible encore pour supporter la fatigue d'une soirée. Charlotte s'était échappée de la « Mazurka » et se pavanait en robe verte, reptilienne, aux côtés de sa nouvelle passion : un vrai Mexicain à la joue longue et bleue, qui ne savait pas trois mots de français. Thomas, journaliste à ses heures, était méconnaissable depuis qu'il s'était laissé pousser une barbe blonde de Viking. Il avait amené avec lui un jeune chanteur, timide et brun, Vasco, qui venait d'enregistrer son premier « quarante-cinq tours ». Ursula, attachée de presse dans une maison d'édition, était furieuse contre André parce qu'il avait invité Jenny avec qui elle était brouillée.

— Tu le savais pourtant! dit-elle.

Il se défendit mollement :

— Je ne pensais pas que c'était sérieux.

— Si elle vient, je m'en vais!

— Ecoute!... Quelle histoire!... Vous n'aurez qu'à vous éviter un peu... C'est assez grand, chez moi, pour qu'on puisse circuler des heures sans se rencontrer, non?

Ursula se renfrogna derrière ses lunettes d'écaille. Jenny fit son entrée, accompagnée d'une grande bringue de fille noire, fort belle, aux allures d'araignée. La fille noire avait les cheveux coupés très court et portait une robe en voile transparent chocolat sur sa peau d'ébène. Puis vinrent deux amies italiennes, de passage à Paris, dont l'une écrivait des scénarios d'après les idées de l'autre. Aurelio échangea quelques mots en italien avec elles, ce qui émerveilla André, peu doué pour les langues. Il les laissa pour accueillir de nouveaux arrivants. Les gens se serraient, s'entassaient, le verre à la main, dans la pièce au plafond bas. La plupart se connaissaient entre eux. Ils discutaient avec volubilité, se détournaient d'un interlocuteur pour s'accrocher à un autre, changeaient de conversation sans cesser de sourire. Sabine faisait du charme à Thomas. Aurelio s'intéressait à la fille noire. La pensée d'André vola vers Coriandre. Il ne l'invitait jamais, avec Etienne, à ce genre de réunions. (Elle ne s'y fût pas sentie à l'aise.) Mais il les lui racontait ensuite par le menu. Estimant que personne ne viendrait plus, il apporta le couscous. Une clameur salua l'ouverture de la marmite. Aurelio prit l'accent arabe pour convier les amis à la distribution. Chacun se servait et allait s'asseoir sur le divan ou par terre, avec son assiette pleine. La musique, très forte, engourdissait les oreilles. On se récriait sur les mérites du chef : « Ton couscous est encore meilleur que la dernière fois, André! » Il riait, saluait. Le petit Vasco vint s'accroupir à côté de lui et dit en le regardant dans les yeux avec ardeur : « Moi ce n'est pas votre cuisine que j'admire, c'est votre peinture. » Il avait un visage un peu mièvre, comme dessiné d'un trait souple, sans lever la plume du papier. Le tableau qu'il préférait, c'était, disait-il, celui qui ornait le grand panneau de l'alcôve : un acrobate en collant blanc sur un fond de grisaille. André l'avait tiré le matin du placard où il rangeait ses vieilles toiles. Il songeait à le reprendre en changeant le dessin, mais en gardant les accord de tons. Il l'expliqua à Vasco, qui l'écoutait avec passion. L'un après l'autre, les invités retournaient à la marmite pour un supplément de couscous. La fumée s'épaississait. Le bruit était assourdissant. On marchait entre les verres et les assiettes.

Sabine demanda à Vasco de chanter quelque chose. Il avait apporté son disque, qui n'était pas encore dans le commerce. Charlotte réclama le silence. Les gens se turent à contrecœur. Vasco s'écarta d'André et se planta près de l'électrophone comme pour humaniser la mécanique par sa présence. Une voix bêlante sortit de l'appareil. Il était question d'un « amour de pluie » avec une fille aux « cheveux de suie ». Vasco chantait mal, avec un désespoir emphatique, en hachant les mots.

Aurelio se rapprocha d'André et dit entre ses dents :

— Qu'est-ce que c'est que ce minet?

— Il est très gentil, dit André. Et pas bête du tout.

Les traits d'Aurelio se tendirent. Son visage prit une expression de méchanceté hautaine. Il retourna auprès de la fille noire. André s'amusa de ce brusque dépit. Quelques applaudissements polis retentirent; Charlotte s'exclama : « Bravo! » en projetant les deux mains en avant dans un tintement de bracelets; Vasco arrêta le disque et revint à André.

— C'est très bien, dit André en lui posant une main sur l'épaule.

Mais il n'avait plus envie de parler avec le garçon. Il le quitta, sous prétexte de s'occuper des autres invités. Tandis qu'il circulait entre les groupes, il sentait le regard d'Aurelio attaché à ses moindres gestes.

Thomas roula une cigarette de haschisch. On la fuma à tour de rôle. Sabine refusa : le « hasch » la rendait malade. Aurelio dit que c'était « cloche » et « dépassé », mais tira trois bouffées du mégot que lui passait la fille noire. Ensuite il le tendit à André. Celui-ci s'emplit les poumons, le cerveau, de cette vapeur d'herbe parfumée. Ses idées flottèrent, puis se rétablirent. Vasco, en revanche, était tout chaviré. Il dodelinait de la tête et soupirait : « Je plane, mes enfants, je plane! » Les invités restèrent jusqu'à trois heures du matin. Quand ils furent partis, Sabine pivota sur elle-même, se laissa tomber de tout son poids au milieu du divan et gémit en étirant les bras :

— Je suis morte! Je reste coucher ici!

— C'est ça! dit Aurelio. André va nous prêter son lit.

— Vous pouvez toujours courir! dit André en riant.

Il empilait des assiettes sales, vidait des cendriers. Dans la pièce, où tout était sens dessus dessous, régnait une forte odeur de pot-au-feu et de tabac. Quelques verres brisés, une brûlure de cigarette dans le tapis, des ronds humides sur les tables, c'étaient les menus stigmates de toute réunion amicale. La pile d'assiettes vacillait entre les bras d'André. L'une d'elles tomba et se cassa.

— Laisse donc ça, dit Aurelio.

— Il faut tout de même enlever le plus gros, dit André en portant son chargement dans la cuisine.

Il déposa les assiettes dans l'évier. D'autres assiettes traînaient par terre, sur le réchaud, sur une chaise. Une invasion d'assiettes. De quoi décourager un plongeur professionnel. On s'en occuperait demain! Quand il revint dans la grande pièce, Aurelio s'était affalé sur le divan, à côté de Sabine. Collé à elle, il la caressait à deux mains et lui baisait la bouche. Leurs visages bougeaient, l'un sur l'autre, avec une douce voracité. André évita de les regarder, ramassa quelques verres et réintégra la cuisine. A son retour, Aurelio et Sabine s'étaient détachés. Maintenant, dressé sur un coude au-dessus d'elle, Aurelio piquait de petits baisers sur cette figure aux lèvres luisantes. Il avait une expression concentrée, crispée. Puis un rire lui déchira la face. Il saisit Sabine par les cheveux et bouffonna :

— Esclave à la noire crinière, viens honorer ma couche!

Ils se levèrent, titubèrent, éblouis. Sabine dit :

— Non, je n'irai pas. Je préfère dormir avec André!

Elle souriait, coquette, et arrangeait ses cheveux sur sa nuque, d'une main souple. Cette plaisanterie écorcha André, sans qu'il sût pourquoi. Il se força à la gaieté et murmura :

— Tu as bien raison! Au moins je ne te ferai pas mal, comme cette brute!

— Bon, dit Aurelio. La brute a assez attendu!

Il empoigna Sabine à bras-le-corps, la souleva avec aisance et l'emporta vers l'atelier. Elle gigotait et secouait la tête. Ses chaussures tombèrent.

— Au secours! cria-t-elle. C'est King-Kong! C'est Frankenstein!

— Bonne nuit tout de même, dit André.

Aurelio gravit les marches avec son fardeau, poussa la porte, la referma sur lui. La petite robe mandarine avait disparu. On eût dit qu'un bouquet de fleurs manquait dans la pièce. André finit de ranger la vaisselle. Puis il se coucha. Bouche pâteuse, il fumait dans son lit. La lampe de chevet éclairait, autour de lui, un désordre de plage après la tempête. Epaves à demi ensablées et chevelures de varech. Il était content de la soirée. Le couscous s'était révélé excellent, on avait eu assez d'alcool, aucun invité n'était resté en carafe dans son coin. Pourquoi alors cette impression de défaite? Il se rappela le petit Vasco et ses « amours de pluie ». Quelle pauvreté! Par la fenêtre entrebâillée, pénétrait le bourdonnement de la ville. Même la nuit, les autos continuaient de rouler. Comme des pensées qui s'obstinent à tourner dans une tête endormie. Et les deux, dans l'atelier, où en étaient-ils?

12

Chaque fois qu'il levait le nez de son livre, André passait du monde violent des gangsters à celui, paisible, des travaux domestiques : coups de feu et coups de chiffon. Il avait un pied dans le sang et l'autre dans l'encaustique. Un regard à la petite silhouette brune qui se démenait, le torchon à la main, parmi les meubles, et il retournait dans le bar mal famé où Jimmy et Dicky rencontraient l'homme à la joue trouée. Depuis trois semaines que Sabine habitait ici, elle faisait le ménage tous les jours. Tant de soin étonnait André qui, tout en aimant son intérieur, n'était pas foncièrement hostile à la poussière. Vautré sur son divan, il goûtait le rare plaisir de l'oisiveté face à l'agitation d'autrui. Sabine s'occupait même de la préparation des repas. Mais si mal, qu'une fois sur deux il prenait sa place devant le réchaud. La cithare qu'elle époussetait lui échappa des mains et tomba avec un fracas de bois creux. Elle échangea avec André un regard inquiet : Aurelio n'allait-il pas se réveiller? Son sommeil était sacré, depuis qu'il travaillait, la nuit, à « la Mazurka ». Comment avait-il fait pour embobiner Charlotte au point qu'elle lui proposât d'être « l'animateur » de sa boîte? Il avait, disait-elle, le tour de main et plaisait à la clientèle. Lui, toujours épris de changement, semblait s'amuser de son nouveau personnage. Il rentrait vers quatre heures du matin et dormait bien au delà de midi, entouré du respect des animaux diurnes. Derrière la porte de l'atelier, le silence se prolongeait. Soulagée, Sabine reprit sa besogne.

— Lève-toi, dit-elle à André. Il faut que je retape le divan.

Il se transporta en maugréant sur une chaise et continua de lire. Le téléphone sonna. André décrocha le combiné : c'était Maurice, le beau-père de Sabine.

— Je vous la passe.

Elle fit la moue en prenant l'appareil. Pourtant M. Berthier n'était guère encombrant. Tout juste s'il avait tiqué, lorsqu'elle lui avait annoncé son intention d'emménager chez André. On eût même dit que le départ de sa belle-fille le mettait à l'aise. André écoutait les échos d'une conversation banale, où aucun des deux interlocuteurs n'avait, semblait-il, rien à dire à l'autre. A ce qu'il crut comprendre, M. Berthier téléphonait avant de prendre l'avion pour Stockholm. Sabine raccrocha et dit nonchalamment :

— Quand il me parlera d'autre chose que de lui-même, celui-là...!

Elle donna encore quelques coups de chiffon, puis s'arrêta et promena sur toutes choses un regard satisfait.

— Je n'ai jamais autant astiqué de ma vie, dit-elle en se dirigeant vers la porte. Maintenant il faut que je me grouille.

— Tu sors?

— Oui. Si Aurelio se réveille avant que je ne sois rentrée, tu lui diras que je suis allée faire des courses.

— Bon.

Elle enfila son manteau, avec une lenteur mystérieuse, réfléchit, revint sur ses pas et dit, penchée sur André :

— Je dois passer chez le docteur.

— Très bien, grommela-t-il sans détacher les yeux de son livre.

Dicky s'était mis dans le crâne de garder tout le magot. Il marchait avec Jimmy le long du canal. Tous deux se taisaient. On entendait un sifflet de train, lugubre, dans la nuit. L'endroit était propice. Soudain André redressa la tête et dit :

— Qu'est-ce que tu vas foutre chez le docteur?

— C'est mon problème.

— Encore!

— Ben, oui.

— Attends-moi. Je vais avec toi.

Ses chaussures avaient disparu. Il se mit à quatre pattes et les découvrit sous le divan. Pas cirées. Tant pis. Sabine était déjà dans l'escalier. Il la rattrapa : il avait la sensation de revoir un film dont toutes les péripéties lui étaient connues. La voiture exiguë, les encombrements, l'arrêt dans la rue du Colisée, l'air résolu de Sabine (« J'en ai pour cinq minutes! »), l'attente, assis, les jambes durement pliées, face au tableau de bord dont les cadrans l'observaient de leurs gros yeux blancs... Enfin elle reparut, marchant vite sur le trottoir, parmi les passants clairsemés. Elle avait un visage détendu. « Allons, se dit-il, tout va bien! » Il lui ouvrit la portière. Elle s'installa au volant, eut un rire bref et annonça :

— Cette fois, ça y est!

— Quoi?

— Je suis enceinte.

Elle avait mis le moteur en marche et manœuvrait pour se dégager des autres voitures en stationnement. André ressentit une grande joie, qui l'étonna lui-même. A la dérobée, il regarda le ventre plat de Sabine : elle ne pesait pas cinquante kilos, elle faisait des fautes d'orthographe, elle trichait au « scrabble », et elle allait mettre un enfant au monde. Un enfant d'Aurelio! C'était comique!

— Je suis sûr que ce sera un garçon! s'écria-t-il gaiement.

— Ce ne sera ni un garçon ni une fille, dit-elle en s'arrêtant à un feu rouge. Il n'est pas question que je le garde.

— Ah?

— Tu me vois avec un enfant? Et un enfant d'Aurelio par-dessus le marché!

— Qu'est-ce qu'il a, Aurelio? Tu ne l'aimes plus?

La voiture repartit. Tous les feux, jusqu'au bas des Champs-Elysées, étaient verts.

— Si, dit-elle en changeant de vitesse. Je l'aime comme je dois l'aimer. C'est-à-dire tel qu'il est. Père, lui? Il serait tout simplement ridicule!

— Il a tout de même son mot à dire!

— Non. Je t'ai déjà expliqué que c'était mon problème à moi. A moi seule. Je ne veux même pas qu'il sache.

— Ce que tu peux dérailler, ma pauvre chérie!

— Et toi, alors! Tu raisonnes comme un bourgeois!

— C'est toi qui raisonnes comme une bourgeoise! Le confort avant tout! Pas de gosse pour ne pas se compliquer la vie! Au fond, c'est ça, non?

— Parfaitement, j'ai tout l'avenir devant moi pour pouponner!

— Conne, va!

Il était furieux. Après tout, il était bien bête de prendre à cœur les soucis des autres.

— On n'a rien pour le déjeuner, dit-il. J'ai envie d'artichauts. Et toi?

Sabine gara sa voiture. Ils firent des courses dans le quartier. Artichauts, escalopes, fromage. André paya. Sabine, complètement démunie d'argent, ne contribuait pas aux dépenses de la maison.

— La vie est décidément trop chère! dit-elle.

En remontant l'escalier, les bras chargés de paquets, André soufflait d'une marche sur l'autre. Sabine s'arrêta sur le palier du troisième étage et chuchota :

— Tu ne diras rien à Aurelio, n'est-ce pas?

— Si tu veux, dit André. Tu m'énerves. Tu n'es qu'une paumée!

Quand ils rentrèrent dans l'appartement, Aurelio dormait encore. André retira ses chaussures, se jeta sur le divan et rouvrit son livre. Le troisième cadavre. Repêché dans le canal. Et pourtant ce ne pouvait être un coup de Jimmy. Le commissaire Fleuroy suçait des réglisses pour s'empêcher de fumer et réfléchissait intensément.

— C'est toi ou moi qui fais le déjeuner? demanda Sabine.

— Ça m'est égal, grogna André.

Elle disparut dans la cuisine. Il continua sa lecture. La porte de l'atelier s'ouvrit à la volée. Au sommet des marches, apparut Aurelio, en robe de chambre cerise, les cheveux ébouriffés, les pieds nus. Un bohémien au seuil de sa roulotte. Encore engourdi de sommeil, il descendit l'escalier et traversa la pièce, sans un mot, la démarche molle : il allait prendre sa douche.

Sabine en profita pour disposer le couvert sur la table basse. Une fois lavé, rasé, habillé, Aurelio alluma une cigarette et dit :

— Tu as mis un couvert de trop : je ne déjeune pas avec vous aujourd'hui.

Sabine le toisa d'un regard indigné :

— Tu plaisantes?

— Non.

— Et où déjeunes-tu?

— Ça ne te regarde pas.

Un éclair passa dans les yeux de Sabine.

— Ah! si alors! s'écria-t-elle. Je ne suis pas

ta bonne! Tu vas, tu viens, tu te crois tout permis!... Ça fait la troisième fois, cette semaine, que tu te carapates, en nous prévenant à la dernière minute!

— Je ne t'empêche pas d'en faire autant.

— Si je n'en fais pas autant, c'est par égard pour André!

— André, il s'en fout. C'est toi qui râles et qui te cramponnes.

Sabine blêmit :

— Ah! oui? Eh bien! je ne me cramponnerai pas longtemps, je te le promets! Je vais m'en aller, Aurelio! Et tout de suite encore! Rends-moi mes clefs de voiture!

Il jeta les clefs sur la table :

— C'est ça, barre-toi!

— Vous n'avez pas fini, tous les deux? dit André en lâchant à regret son livre.

— Tu as raison, dit Aurelio, ça suffit comme ça. Ciao.

Il sortit et claqua la porte. Sabine resta, les bras ballants, haletante, des larmes de fureur dans les yeux. Puis, soudain, une agitation misérable s'empara d'elle. Sans un mot, elle tira sa valise du placard, l'ouvrit et y jeta, pêle-mêle, ses vêtements.

— Qu'est-ce que tu fais? dit André. Ecoute!... Calme-toi...

Mais elle continuait d'aller et de venir, sourde, muette, entassant ses robes dans la valise. Des cintres tombaient. Elle les repoussait du pied avec rage. Quand son bagage fut terminé, elle rabattit le couvercle, fit jouer les fermoirs, ramassa les clefs sur la table et proféra d'une voix blanche :

— Voilà, je crois que je n'oublie rien. Au revoir, André. Merci pour tout.

— Où vas-tu?

— A Feucherolles.

Il hocha la tête et dit gravement :

— Tu sais, il ne faut pas jouer ce jeu avec Aurelio, ma petite. C'est un conseil que je te donne.

— Alors, merci aussi pour le conseil. Mais ce n'est pas moi qui joue un jeu, en ce moment, c'est Aurelio... Et toi avec lui... Vous n'avez rien compris, l'un et l'autre!

Il lui prit les mains :

— Pourquoi dis-tu ça? Je comprends tout. Mais je veux éviter le pire.

— Qu'est-ce que c'est, pour toi, le pire?

— La séparation.

— Crois-tu?

— Il n'y a pas qu'Aurelio... Il y a moi... Tu me quittes aussi... Tu ne m'aimes plus?...

Elle l'embrassa :

— Mais si, je t'aime...

— Attends ce soir... ou demain...

— Non.

Elle paraissait si résolue, qu'il n'insista plus et souleva la valise avec l'intention de la porter jusqu'en bas. Mais Sabine la lui prit des mains. Elle ne voulait pas qu'il l'accompagnât à la voiture. Son visage était calme, souriant et froid.

— Dans quelque temps, je te téléphonerai, dit-elle encore. Mais laisse-moi, André. Laisse-moi...

Quand elle eut refermé la porte sur elle, il éprouva une sensation funèbre. Tout à coup les murs de l'appartement lui semblèrent tapissés d'ouate. Après tant d'éclats de joie et de colère, le silence s'étalait avec une majesté pensive sur les meubles au repos. Il regarda la table mise. Trois couverts. Quelle faillite!

Il était un peu plus de sept heures, lorsqu'il franchit le seuil de « la Mazurka ». Pas un client dans la salle faiblement éclairée. Sous les larges feuilles vertes de la forêt tropicale, les tables s'alignaient, vides, avec leurs nappes jaunes, toutes pareilles. Derrière le bar, Aurelio bavardait avec deux jeunes serveurs en spencer abricot à épaulettes dorées. André s'assit à l'écart, sur un haut tabouret. Aurelio vint à lui et marmonna :

— Tu es seul?

— Tu vois bien.

— Où est Sabine?

— A Feucherolles.

— Ah! oui?

— Elle est partie tout de suite après toi.

— Quand revient-elle?

— Jamais.

Aurelio fronça les sourcils.

— Ça t'étonne? reprit André. Après la sortie que tu lui as faite à midi...

— Ce n'est pas la première fois qu'on s'engueule, non?

— Justement. Elle en a assez. Et je lui donne raison!

— Tu lui as toujours donné raison. Tu prends un verre?

André accepta un whisky. Ils burent en silence.

Puis André demanda :

— Comment va Charlotte?

— Elle se repose.

— Tu comptes rester longtemps à son service?

— Je ne suis pas à son service.

— Tu travailles bien pour elle!

— Oui. Mais pas comme employé.

— Et comme quoi, alors?

Aurelio prit un air important :

— Comme collaborateur.

— Tu couches avec elle? dit André.

Un sourire sarcastique allongea les lèvres d'Aurelio :

— Ça te dérange?

— Oh! moi, personnellement, je m'en fous! dit André. Mais je trouve que vis-à-vis de Sabine...

— C'est elle qui t'envoie pour me faire la morale?

— Non. Et même, si elle savait que je suis ici, elle serait furieuse. Par ta connerie, tu as perdu une fille formidable. Tout ça, parce que tu avais envie de jouer au caïd. Qu'est-ce que tu fous avec Charlotte?

— Je baise, dit Aurelio avec une profonde douceur dans la voix. Et c'est très chouette. Plus chouette qu'avec Sabine. Au moins, avec Charlotte, il n'y a pas de problèmes. Je suis libre comme l'air. Elle ne me fait pas de ces scènes de pucelle attardée... Grâce à moi, la boîte marche de mieux en mieux...

— J'espère que ça te rapporte!

— Deux mille cinq par mois.
— Tout ça pour ton travail d'animateur?
— Oui.
— A « la Mazurka » ou dans le lit de Charlotte?
— Les deux, j'imagine, dit Aurelio avec un rire serré.

Et soudain ses yeux se durcirent. Son visage était tout en angles.

— Ça suffit comme ça, André. Ou tu la boucles ou tu fous le camp.
— Je fous le camp, dit André. Mais il faudrait que tu passes prendre tes affaires à la maison. Tu vas habiter chez Charlotte, maintenant, je suppose. Ce sera plus net comme situation.
— Ne commence pas à m'énerver.
— Quand viens-tu chercher tes fringues?
— Quand ça me plaira.

Charlotte surgit, maquillée de frais, le sourire aux lèvres, mince comme une tige dans sa robe turquoise à volants. Elle prit le bras d'Aurelio :

— Tu restes avec nous, André. On va dîner avant les clients.
— Non, dit André. Je ne peux pas. Des amis m'attendent.

Il sortit à l'air libre avec un sentiment de défaite. Un crépuscule pluvieux pesait sur sa nuque. La ville grondait autour de lui, agitée par la course éperdue de millions d'individus qui changeaient d'alvéoles. Marchant dans la rue des Saints-Pères, vers la Seine, il n'accordait pas un regard aux vitrines éclairées des magasins et ignorait le visage des passants qui le frôlaient sur le trottoir. Un fleuve de voitures le traversait sans entamer ses chairs. Il avait douze ans et rentrait de l'école. Sa mère l'attendait avec une brioche. Il se jetterait vers elle et appuierait la tête contre son ventre tiède sous la robe. Ensuite il ferait ses devoirs, sous la lampe. Et elle, assise à côté de lui, s'amuserait à confectionner un chapeau. Ils riraient en l'essayant, à tour de rôle, devant la glace. D'abord elle. Puis lui. « Tu as l'air d'une fille! » dirait-elle. Quel étrange garçon qu'Aurelio! L'esprit de destruction habitait cette tête. Tout était bien fini. Sabine avait raison de ne pas vouloir garder son enfant. Elle oublierait. Mais pouvait-on oublier un Aurelio? André se retrouva dans son appartement sans savoir comment il avait monté l'escalier. Une condamnation silencieuse tombait des murs bas, couleur tabac d'Espagne. Le roman policier traînait sur le divan. Lu jusqu'à la dernière ligne, il avait perdu tout mystère! Par habitude, André pensa : « Il faudra que je le refile à Aurelio », et son cœur flancha. Plus d'Aurelio. Plus de Sabine. Seul. Comme autrefois. Davantage, peut-être. Il allait falloir apprendre une autre vie. Lui qui ne s'ennuyait jamais se demanda comment tuer le temps. Neuf heures à peine. Toutes les lampes allumées. Et personne à attendre. Il téléphona à Gérard. Par chance, ce dernier était chez lui, devant sa télévision. André se traîna jusqu'à la rue Montpensier. Ensemble, ils regardèrent, sur le petit écran, un film sentimental et démodé dont une musique sirupeuse accompagnait les images. Claudia était couchée avec un mal de tête « à couper au couteau ». Après le film, Gérard emmena son ami dans le bureau pour lui montrer un livre sur Piranèse. Ces architectures de cauchemar répondaient si bien à l'humeur secrète d'André, qu'il lui semblait porter dans sa poitrine une forteresse aux escaliers vertigineux et aux multiples compartiments de torture et de solitude. A plusieurs reprises, il fut tenté de parler à Gérard du départ d'Aurelio et de Sabine. Mais il domina cette envie et s'imposa de jouer sa partie dans une conversation artistique, alors qu'il avait la gorge contractée et ne pouvait penser à rien d'autre qu'à sa peine. Gérard le retint, de whisky en whisky, jusqu'à une heure du matin. En le quittant, André avait la tête lourde.

Il regagna son appartement comme il fût retourné en prison, parce qu'il ne savait où aller. Chemin faisant, il serrait les mâchoires. Il s'absentait de lui-même. Il refusait de vivre au bord des larmes.

Tiens, de la lumière dans l'entrée! Il croyait avoir éteint, en partant. Il poussa la porte : Aurelio, affalé tout habillé sur le divan, une cigarette au bec. Etait-il venu chercher ses affaires? André n'osa le lui demander et dit faiblement :

— Comment se fait-il que tu sois déjà là?

— Ce soir, je n'étais pas en train. J'ai laissé Charlotte se débrouiller seule, à la boîte.

— Et elle a accepté?

— Elle n'a pas à accepter ou à ne pas accepter.

— Elle te paye pourtant...

— Arrête ton char. Ce n'est ni Sabine, ni Charlotte, ni toi, ni personne qui me mettra le grappin dessus.

— Qu'est-ce que tu comptes faire?

— Rien d'autre qu'avant!

— Avant quoi?

— Avant cette conne de Sabine.

Ces mots, lancés avec colère, emplirent André d'une joie douloureuse. Ainsi Aurelio se refusait à le quitter. Il allait continuer à vivre ici. Et à coucher avec Charlotte. Ou avec d'autres. C'était mieux que la solitude.

— J'ai vu qu'elle a emporté toutes ses affaires, reprit Aurelio.

— Oui, dit André.

Et il pensa que Sabine était son alliée et que, sans elle, Aurelio devenait deux fois plus redoutable. Oui, c'était bien cela, Sabine et lui appartenaient à Aurelio, mais Aurelio n'appartenait à personne.

— Elle a bien fait, dit Aurelio. Elle et moi, ça ne pouvait pas durer.

— Tu veux boire quelque chose? demanda André.

— Oui, du café.

André passa dans la cuisine, prépara le café et revint avec la cafetière pleine et deux tasses. Ils burent, face à face, en silence. Puis Aurelio annonça qu'il allait se coucher.

André se coucha à son tour. Mais il savait déjà qu'il ne fermerait pas l'œil de la nuit. Son corps brûlait. Il ne pouvait détacher sa pensée de cette porte close, au sommet des marches. Sans doute Aurelio était-il à demi nu sur le lit. Les membres épars. La bouche entrouverte. Toute sa musculature au repos. Avec cet air de force et d'abandon... Le rejoindre. Le toucher. Respirer son odeur de poivre. André le désira follement, mais sans bouger. Il avait trop peur d'essuyer une rebuffade. D'avance il vivait la scène. « Fous-moi la paix! » Non, il ne supporterait pas cela. Quelle soif! Il se leva et but un verre d'eau fraîche, à la cuisine. Longtemps il tourna en rond, marchant dans la trace de ses pas, comme s'il eût arpenté une cellule. Puis, incapable de museler son désarroi, il se rhabilla et sortit.

La rue déserte, la pâle auréole des lampadaires, un brusque appel de phares, le défilé des immeubles, soudés l'un à l'autre dans l'ennui, la respectabilité et l'impalpable salissure du temps — il allait, comme attiré par un aimant, à travers la ville endormie. Son pas résonnait dans les os de son crâne. Sans avoir rien décidé par avance, il échoua au « Tilt ». Quelques visages d'éphèbes flottant dans une pénombre enfumée. Le goût amer et fort du whisky sur la langue. Et cette impression vénéneuse et douce que la nuit ne finirait jamais.

13

Au retour du chantier — un studio dans l'île Saint-Louis à installer le plus économiquement possible pour Ursula —, André s'arrêta chez l'Italien et acheta des pâtes fraîches. Aurelio, pensait-il, n'allait pas tarder à se réveiller. Il le trouva en train de manger des œufs sur le plat, assis en tailleur devant la table basse. La robe de chambre cerise bâillait sur son torse et ses jambes nus.

— C'est fameux, dit Aurelio.

— J'avais acheté des pâtes fraîches pour le déjeuner, dit André.

— Ça sera pour demain.

— Tout compte fait, je prendrai, moi aussi, des œufs sur le plat.

Les œufs cassés au-dessus de la poêle, le grésillement du blanc qui se gonfle en cloques, et, exaltée par le parfum appétissant du beurre fondu, cette exquise sensation de paix domestique. Depuis que Sabine était partie — quinze jours déjà —, pas un nuage entre Aurelio et lui. Il est vrai qu'ils ne se voyaient guère qu'à l'heure du déjeuner. Le reste du temps, Aurelio menait sa vie. Indépendant et secret, comme il l'avait toujours souhaité. André prit place devant lui avec son assiette.

— Ça va, au chantier? demanda Aurelio.

— De petits emmerdements, comme toujours.

— J'espère qu'elle va te payer, Ursula!

— C'est gênant de le lui demander... Pour quelques conseils que je lui donne amicalement... Elle fera ce qu'elle voudra... Tu sais, c'est une très chic fille...

— Et toi, tu es un pauvre con! Tout le monde, pour toi, est « chic »! A tout le monde, il faut rendre service. L'argent ne compte pas. Pourtant tu vas en avoir besoin, de cet argent, maintenant, de plus en plus!

— Pourquoi dis-tu ça?

— Parce que, ton petit Maxime, il a les dents longues!

André tressaillit : d'où Aurelio savait-il?

— C'est Thomas qui t'a vu, poursuivit Aurelio. Il paraît que tu traînes avec ce minet pourri!

— Et alors? dit André. Si ça me plaît...

— Tu l'as ramassé au « Tilt »?

André ne répondit pas.

— Il est connu dans le quartier, reprit Aurelio. N'importe qui peut se le faire en y mettant le prix.

— Jusqu'ici il ne m'a pas coûté bien cher!

— C'est encore trop!

Il y avait, sur le visage d'Aurelio, une fureur de propriétaire dépossédé. Il s'était levé et dominait André de toute sa taille. L'os de son menton luisait sous une ombre de barbe. Ses sourcils étaient noués, en touffe noire, à la racine de son nez.

— Comment un type comme toi peut-il perdre son temps avec cette petite ordure? dit-il encore. Tu as du goût, tu es intelligent, et tu es allé choisir ça! Qu'est-ce qui t'a pris? Une crampe?

André l'écoutait avec un mélange d'humiliation et de reconnaissance. La violence même de ces reproches prouvait à quel point Aurelio lui était attaché.

— Mais Maxime n'est rien pour moi, dit-il. Rien du tout. Si tu le veux, demain il n'existera plus.

Les traits d'Aurelio s'apaisèrent comme sous l'effet d'un souffle rafraîchissant. Un sourire découvrit ses dents jusqu'aux canines.

— Après tout, je m'en fous, dit-il. Tout ça est si loin de moi! Démerde-toi avec tes envies!

Et, sans transition, il ajouta :

— Je vais à Feucherolles. Tu viens avec moi?

— A Feucherolles?

— Je veux revoir Sabine. Elle a assez boudé, celle-là! Je lui parle et on la ramène ici. On n'était pas bien, tous les trois?

L'étonnement d'André se mua en une peur panique.

— Ecoute, Aurelio, je suis sûr qu'elle ne reviendra pas, dit-il. Toi et elle, c'est fini. Metstoi ça dans la tête!

— C'est ce qu'on verra.

— N'y va pas!
— Si.
— Tu ne l'aimes pas vraiment!
— Ça me regarde.
— Tu ne sais pas tout... Elle était enceinte de toi...

A peine André eut-il lâché ces mots, qu'il les regretta. Comment avait-il pu trahir si légèrement sa promesse? Ensorcelé par Aurelio, n'avait-il plus ni volonté ni mémoire? Cependant le visage de l'autre ne marquait aucune surprise.

— Qu'est-ce que ça change? dit-il.
— Mais... Aurelio... Tu n'as pas compris...

Aurelio bondit, tel un diable, dans un flottement de robe rouge, et disparut au fond de son antre. Par la porte restée ouverte, il cria :

— Alors, tu te décides? J'ai la voiture de Charlotte, en bas!
— Non, dit André. Je n'irai pas.
— Tant pis pour toi, dit Aurelio. Tu manques une belle scène!

Il crânait, mais André le devinait tourmenté jusqu'à l'obsession, jusqu'à la souffrance physique, par le désir de reprendre Sabine.

Aurelio resurgit, vêtu de son costume marron à fines raies blanches, une cravate neuve autour du cou, l'air doux, sensible et victorieux. André le détesta pour le mal qu'il allait faire.

— Ciao, dit Aurelio.

André s'assit, brisé, au bord du divan. Chaque minute qui passait aggravait sa responsabilité. Il ne pouvait demeurer inactif, alors que le feu courait le long de la mèche. Soudain il se précipita sur le téléphone et appela Feucherolles. Ce fut Sabine qui répondit. Le son de sa voix surprit André qui, un instant, perdit contenance, comme s'il avait entendu parler une morte.

— Qu'est-ce que tu deviens? demanda-t-il.

— Rien de bien intéressant, dit-elle. Et toi?

— Ça va... Tu me manques beaucoup, Sabine! C'était si agréable quand tu étais là!

— N'y pense plus.

— C'est difficile!

Il y eut un long silence. Puis Sabine murmura :

— Et Aurelio, comment va-t-il?

— Très bien, dit André. Tu vas le voir arriver d'un moment à l'autre. Il veut te parler. J'ai essayé de l'en empêcher, mais tu le connais : quand il a une idée... Il m'a poussé à bout... J'ai perdu la tête... J'ai fini par lui dire la vérité...

— Quoi?

— Oui, Sabine...

— Je t'avais pourtant interdit...!

— Ça a été plus fort que moi... Il méritait que je lui dise... Je te demande pardon... Alors voilà, je te préviens... Il est en route... Et il sait...

Très loin, il entendit un soupir. Sabine pleurait. Elle dit :

— Je suis très malheureuse.

— Tu as fait cette bêtise?

— Non, je n'ai pas pu. J'aime Aurelio... Claudia m'a appris qu'il était collé avec Charlotte et qu'il était très heureux comme ça... Je ne cesse de penser à lui... Tu avais raison, André : je suis une paumée.

— Ton beau-père est là?

— Oui.

— Tu lui as dit?

— Non.

— Qu'est-ce que tu comptes faire?

— Je vais partir pour La Rochelle, chez ma tante. De là, j'écrirai à mon beau-père pour le mettre au courant... Je veux cet enfant.

— Je ne te comprends pas. Avant, tu disais...

— Avant, j'avais Aurelio. Et je n'avais besoin de rien d'autre. Maintenant, je ne l'ai plus. Alors, cet enfant, il me le faut. Il me le faut parce que c'est tout ce qui me reste d'Aurelio... Il me le faut parce que ce sera encore lui... Il y a longtemps qu'il est parti?

— Vingt minutes environ, dit André.

— Pourquoi veut-il me voir? demanda Sabine.

Il mentit :

— Je ne sais pas.

— Pas pour me demander de retourner avec lui, je suppose!

— Peut-être bien que si!

— Il est fou!... Pour qui me prend-il?... Jamais!... Jamais!...

Elle haletait. Une respiration de victime. Le piège s'était déjà refermé sur elle. André suggéra :

— Tu peux encore refuser de le recevoir..., ou alors... je ne sais pas, moi..., quitte la maison avant son arrivée...

— Non, je le recevrai! s'écria-t-elle. Il ne

me fait pas peur. Je lui dirai ce que je pense...

Et, tout à coup, cet aveu lamentable :

— Bon. Je raccroche... Je vais me préparer...

DEUXIÈME PARTIE

1

Fatigué de marcher en rond, André s'assit dans un fauteuil et fixa les yeux sur le mur d'en face, dont la peinture crème était une invitation au repos. Seul dans la salle d'attente. Une porte en verre dépoli donnait sur le couloir où s'alignaient les chambres de souffrance. Dans l'une d'elles, Sabine. Malgré un effort d'imagination, André n'arrivait pas à croire que, d'une minute à l'autre, elle allait mettre un enfant au monde. Pourtant il avait vécu au jour le jour, pendant des mois, toutes les phases de cette grossesse. Sabine portait son ventre rond avec coquetterie et humour. Le visage rayonnant et le dos droit, elle avait l'air d'une comédienne qui, pour jouer le rôle d'une femme enceinte, eût glissé un ballon sous sa robe. Parfois elle serrait cette rotondité à deux mains, comme pour préparer une passe de rugby : « Attrape! » Aurelio, devant elle, faisait mine de saisir le ballon au vol. Ils riaient. Et le jour où, tout à coup, elle avait senti les mouvements de son bébé... André avait effleuré de la main ce ventre habité. Un frémissement de vie montait dans ses doigts. Il touchait l'au-delà à travers une enveloppe de tissu et de peau tiède. Aurelio et Sabine le plaisantaient sur son émotion. « Oh! vous deux, disait-il, vous ne méritez pas ce qui vous arrive! » Pour la première fois, une date avait de l'importance dans son esprit. Il biffait mentalement les jours écoulés. Tout était prêt, à la maison, pour recevoir l'enfant. Le berceau, qui était un couffin, la layette, toute blanche... Il avait fait les emplettes avec Sabine, courant les magasins, discutant brassières et chaussons. Il alluma une cigarette. L'aiguille de la pendule murale se déplaça d'une saccade. Huit heures trente-cinq. Que faisait Aurelio? Sabine les avait pourtant prévenus : « Mes enfants, je crois bien que c'est pour ce soir. » Mais elle le disait chaque jour, depuis deux semaines. On ne la croyait plus. Aurelio affirmait avec superbe : « Les femmes devraient accoucher seules, dans les taillis, et ne déranger les mâles que pour leur montrer leur progéniture et les remercier de les avoir fécondées. » André lui avait laissé un billet, sur la table basse, avant de partir : « Grouille-toi. Cette fois, c'est vrai. Nous sommes à la clinique. » Les mains au ventre, Sabine geignait faiblement. Elle avait préparé sa valise. Un taxi appelé par téléphone. La descente interminable de l'escalier. André soutenait Sabine et l'encourageait à mi-voix. Il avait peur qu'elle n'accouchât sur une marche. Et plus tard, dans la voiture. Le moindre cahot et hop! un bébé hurleur tombe de dessous la jupe. Que faire, dans ces cas-là? Les ongles de Sabine plantés dans sa main. Dents serrées, elle ne se plaignait plus, elle ne parlait plus. Entre deux spasmes, un sourire. Courageuse, oui, et farouchement attentive à ce travail en elle. A chaque feu rouge, André pestait. Quelle idée aussi de choisir une clinique au fin fond de Neuilly! Pas une fois Sabine n'avait demandé après Aurelio. On n'avait pas besoin de celui-là.

Le parfum de la cigarette ne parvenait pas à dominer le relent médicinal qui imprégnait l'air. André respirait l'odeur d'un monde de drogues, d'insomnies, de souffrances solitaires dans des chambres nues. Son malaise augmentant, il sortit dans le couloir. Un chariot glissa, poussé par un homme en tablier blanc. Sur le plateau, une forme allongée. André s'adossa au mur. Un jour, il avait failli s'évanouir à cause d'une piqûre. C'était pendant son service militaire. L'infirmerie. La seringue. L'aiguille pointée. Des gouttes de sueur perlaient à son front. Il s'épongea le visage avec un mouchoir. Quelle chaleur dans cette clinique! Vaincu, il retourna dans le salon. Soudain Aurelio fut devant lui, comme apporté par une bourrasque :

— Il est né?

— Pas encore, dit André.

— Elle souffre?

— Oui, beaucoup.

— Où est-elle?

— Tu ne peux pas la voir. On m'a dit d'attendre ici.

— Bon, grogna Aurelio, mais, moi, j'ai besoin de savoir. Et vite!

Il poussa la porte en verre dépoli. Toutes les audaces! André le suivit. Justement la sage-femme sortait d'une chambre. Aurelio l'aborda :

— Mademoiselle Sabine Morest, s'il vous plaît...

— Oui, dit la sage-femme avec un haut-le-corps. Elle est en salle de travail. Mais qui êtes-vous, monsieur?

— Le père.

— Ah! bon.

— Il y en a pour longtemps?

Elle regarda la montre à son poignet :

— Voyons... Il est neuf heures moins dix... Ne comptez pas avant minuit ou une heure du matin.

— Quoi?

— Ne vous plaignez pas, monsieur, c'est parfaitement normal. Pour l'instant, tout se présente bien... D'ailleurs le docteur n'est pas encore arrivé...

— En somme, on a le temps d'aller dîner, dit Aurelio.

— Largement! dit la sage-femme.

— Je n'ai pas faim, murmura André.

Aurelio lui prit le bras :

— On ne va pas poireauter ici pendant quatre heures! Viens, je t'invite.

Après l'atmosphère confinée de la clinique, l'air de la rue fut pour André comme un bain d'eau fraîche. De nobles arbres roux, à demi déplumés, bordaient le boulevard silencieux et sombre. Ils se dirigèrent à pied vers l'avenue de Neuilly et se retrouvèrent au premier étage d'un restaurant décoré dans le style rustique. Un coq au vin et une bouteille de beaujolais. C'était un si grand jour! Aurelio exultait :

— Je bois à la santé de mon fils! Car se sera un fils. Tu verras. Au fait, j'ai revu Richter. Il va marcher pour les lithographies. Il t'en prendrait six.

— Six? s'écria André. Tu n'y penses pas! Comment veux-tu que je m'en tire?

— En boulonnant!

— C'est facile à dire! Et puis ce que je fais est si mauvais!

— Tu nous embêtes. C'est excellent! Et tu le sais très bien. Mais tu es flemmard comme il n'est pas permis et tu te cherches des excuses. Réveille-toi, bon Dieu! Prends conscience de ce que tu as dans les mains. Moi, je te ferai travailler. Avec moi, tu arriveras.

— A quoi?

— A te faire connaître, à te faire estimer, à gagner de l'argent!

— Ça ne m'amuse pas!

— Ne fais pas le con : tu n'es plus seul au monde, dit Aurelio avec une étrange douceur.

André s'épanouit. A cause de ces quelques mots, il se sentait glisser délicieusement vers un état de faiblesse. Il eut envie de dire : « Tu as raison. » Mais il se retint et murmura simplement :

— Alors, c'est sûr?

— Oui, mais j'ai besoin de toi pour signer

le contrat. Il faut que tu rencontres Richter.

— Ce n'est pas le moment! Avec Sabine!... Tout ce qu'on va avoir à faire!...

Aurelio partit d'un éclat de rire :

— Ce n'est pas toi qui accouches! Nous devons déjeuner avec Richter, demain.

— Ah bien!

— Tu sais, c'est un homme très fin, très cultivé. Un Américain cosmopolite. Les lithos ne sont pour lui qu'un « hobby ». Il a trente-six autres affaires à New York. Une fortune énorme. Il connaît tout Paris...

— Oui, oui, dit André.

Il mangeait du bout des dents. Le coq au vin était excellent, mais il avait scrupule à s'en délecter alors que Sabine, là-bas, souffrait toute seule.

— Les contestataires me font marrer, reprit Aurelio. Ils veulent quoi? Un univers sans violence, sans jalousie, sans boulot. L'amour, la paix, la rigolade et le pain pour tous. C'est très beau, tout ça. Mais c'est impossible à une grande échelle. Si tout le monde se croisait les bras et se grisait de hasch et de philosophie hindoue, l'humanité crèverait, la gueule ouverte. Ce qu'il faut, c'est essayer de tirer le maximum de plaisir en prenant le minimum de peine. Etre parmi les gros malins qui vivent sur le dos de la masse des autres. Utiliser la société existante jusqu'à plus soif, au lieu de chercher à la détruire.

— Il est tout de même triste de penser que cette société dont tu parles est fondée uniquement sur la recherche des satisfactions matérielles, dit André.

— Tu connais des satisfactions qui ne soient pas matérielles, toi?

— Les joies de l'esprit, ça compte!

— Quand on a le ventre creux et des poux dans la tête, les joies de l'esprit, mon petit vieux, ne tiennent pas devant une tartine et un morceau de savon.

André haussa les épaules. Il avait l'impression qu'Aurelio était un peu ivre. Ses discours étaient décousus et absurdes. Il parla encore de guerre mondiale, de confrontation entre le système capitaliste et le système socialiste, de l'avenir du Moyen-Orient dans l'éventualité de l'abandon du pétrole comme source d'énergie... Quelle fougue! D'où tenait-il toutes ces idées? Comme on était loin de Sabine!

En sortant du restaurant, ils reprirent le chemin de la clinique. Tout à coup Aurelio avisa, derrière la vitre d'un café, un billard électrique brillant de mille couleurs :

— On fait une partie de flippers?

André regarda sa montre.

— Nous avons plus d'une heure devant nous! trancha Aurelio.

Ils commandèrent deux cafés et se postèrent devant l'appareil diabolique. Une bille roulait, catapultée, sur le plan incliné, poussait des portillons, heurtait des plots, déclenchait des sonneries. Sur l'écran vertical, s'allumaient des chiffres faramineux. Aurelio secouait la caisse à pleines mains. Son regard brillait de la fièvre du jeu. Ils firent six parties d'affilée.

Il était minuit moins dix, quand ils arrivèrent à la clinique. Dans le couloir, ils se heurtèrent à la sage-femme radieuse.

— Tout s'est très bien passé, dit-elle. Un beau garçon de sept livres. Il est né il y a une demi-heure.

André et Aurelio se regardèrent, stupéfaits. L'allégresse d'André était alourdie de remords. Il s'en voulait de n'avoir pas été sur place lors de l'événement. Par la faute d'Aurelio. Ce dîner stupide, ces parties de flippers... Pourquoi lui cédait-il toujours?

— Comment va-t-elle? demanda Aurelio.

— On ne peut mieux, dit la sage-femme. Elle se repose. Voulez-vous voir l'enfant?

Elle disparut et revint, tenant dans ses bras un paquet blanc, d'où émergeait une boule de chair cramoisie et plissée. Avec respect, André se pencha sur cette douce larve. Etait-il possible qu'elle portât déjà, inscrite dans ses replis, un caractère, un destin?

— Bonsoir, Léon, dit André.

C'était le prénom que Sabine avait choisi pour l'enfant.

— Il est hideux! dit Aurelio en riant. Et, par-dessus le marché, il a l'air de mauvaise humeur.

— Si vous voulez voir la maman..., dit la sage-femme. Mais ne restez pas plus de cinq minutes. Elle est très fatiguée.

André se glissa dans la chambre, derrière Aurelio. La pénombre. Le lit. Un visage exténué, aux yeux grands ouverts et aux pommettes luisantes, comme cirées.

— C'est toi? murmura Sabine. Tu l'as vu? Il est laid, n'est-ce pas?

Elle pleurait. Aurelio se pencha sur elle et lui baisa le front. Ils chuchotèrent. André s'approcha à son tour. Elle le regarda intensément et répéta :

— Il est laid, n'est-ce pas?

— Mais non, dit André. Il est merveilleux... Costaud... Et tout... Et puis tu voulais un fils... Tu l'as eu, ton petit Léon!

Il l'embrassa. Sous ses lèvres, un goût de peau fiévreuse. Sabine se remit à pleurer. André et Aurelio se retirèrent sur la pointe des pieds. La porte refermée, André sentit un lâche soulagement. Comme s'il se fût, à l'instant, libéré d'une obligation pesante. La sage-femme attendait dans le couloir.

— Pourquoi pleure-t-elle? demanda Aurelio.

— Ne vous inquiétez pas, dit la sage-femme. C'est la réaction.

Aurelio ne voulait pas rentrer. Ils prirent un taxi et se firent conduire au « Tilt ». Succédant au calme aseptisé de la clinique, la cohue, la fumée et le bruit du bar étourdirent André. Aurelio but trois whiskies, coup sur coup. Il était surexcité, dressait le menton, interpellait des amis pour leur annoncer sur un ton de fierté négligente : « Tu sais, je viens d'avoir un fils! » On le complimentait. Il offrait des verres. A quatre heures du matin, cédant aux adjurations d'André, il consentit à lever le siège. Ils partirent à pied pour la maison. Leur pas résonnait dans un décor de théâtre. Brusquement Aurelio bondit, esquissa un entrechat et détala au milieu de la chaussée. Une voiture freina en arrivant sur lui. Il agita une cape imaginaire devant le radiateur, s'esquiva sur une pirouette et repartit au galop. Une antilope dans la brousse. Ses pieds touchaient à peine le sol. Il s'arrêta au coin de la rue du Bac et du quai Voltaire. André courut à son tour, à lourdes enjambées, et le rejoignit. Hors d'haleine. Les mollets tremblants.

— T'es pas fou? dit André.

— Si! s'écria Aurelio. Et tu devrais l'être aussi!

En rentrant à la maison, il retira ses chaussures, ses chaussettes, se mit torse nu et se jeta en travers du divan, dans l'alcôve. Son ventre, au nombril délicatement froissé, se soulevait et s'abaissait à un rythme lent. André détourna les yeux. Il avait marché trop vite. Le cœur lui battait dans la bouche. Il ouvrit la fenêtre pour respirer.

La main d'Aurelio se tendit vers lui :

— Viens.

André s'assit au bord du divan, craignant de comprendre. Il aurait voulu pouvoir dire non. Mais ce corps étendu le fascinait. Il balbutia :

— Quoi? Tu veux?...

Un rire maigre lui répliqua. Il s'abattit sur Aurelio comme sur un ennemi.

2

Chrysanthèmes, asters et branchages. André contempla longuement le bouquet, arrangea encore quelques tiges et posa le vase sur la table basse, près du divan. Il avait allumé un feu de bois dans la cheminée. Un soleil brumeux entrait par la fenêtre. Dans la cuisine, biberons, boîtes de lait en poudre, bouteilles d'eau minérale, tout était prêt. Aurelio n'allait pas tarder à revenir de la clinique, avec Sabine et le bébé. Il aurait même dû être déjà là. Mais peut-être avait-il du mal à trouver un taxi. Dommage que Sabine eût vendu sa voiture, avant l'accouchement, en prévision des dépenses. Avec le premier argent touché pour les lithographies, on en achèterait une autre. Richter avait l'air d'un homme intelligent. Mais peu sympathique. Infatué de lui-même sans doute. Et redoutable en affaires. Pourtant il écoutait Aurelio avec bienveillance. Même il recherchait son avis. Comme s'il lui eût reconnu une juvénile compétence en matière de peinture. Extraordinaire faculté d'Aurelio d'inspirer confiance. On avait parlé argent, délais, possibilités de vente. Toutes questions qui mettaient André au supplice. Richter avait finalement modifié quelques chiffres sur le contrat : six lithos, à deux mille cinq cents francs chacune, payables moitié à la livraison des maquettes, moitié à la fin du tirage. Aurelio avait relu le texte de la première à la dernière ligne. Puis il avait dit : « Tu n'as qu'à signer là. » Et André avait signé. Le plus dur restait à faire : deux lithos par mois. André avait, en quelques jours, esquissé quatre maquettes, dont il n'était pas très content. Après tout, il pourrait s'inspirer du bouquet qu'il avait sous les yeux. Il ébouriffa les fleurs d'une main légère, s'assit, se releva, arrangea les rideaux, attisa le feu, ouvrit la porte, sortit sur le palier. Des pas montaient les marches lentement. C'étaient eux. Il dévala l'escalier à leur rencontre. Aurelio portant le bébé. Et derrière, Sabine, pâle, essoufflée et plate. On s'embrassa entre deux étages.

Une fois le bébé installé dans son couffin, au creux d'un fauteuil, Sabine se pencha sur lui avec une adoration inquiète. Aurelio se rapprocha d'elle et lui enveloppa les épaules d'un bras protecteur. Devant cette vision d'un couple parfait contemplant le fruit de son amour, André ressentit comme une fêlure intime. Etait-ce bien là le même garçon qui, quelques jours auparavant, l'invitait à le rejoindre sur le divan? Pourquoi, au cours de cette nuit, Aurelio s'était-il montré à la fois si exigeant et si tendre? « Brusque envie de me faire partager son bonheur? Désir inconscient de trahir Sabine en passant d'un sexe à l'autre? Impossible de savoir avec lui... » Le lendemain, l'incident était oublié, dans le joyeux train-train d'une amitié masculine. Jusqu'à quand? La sagesse était de ne pas se le demander. Considérer ce passé récent comme le résidu d'un rêve. Et Sabine, si elle savait!... Le nouveau-né se mit à geindre. Sabine aussitôt s'agita. Vite, il fallait changer le bébé!

André avait préparé, à cet effet, une table couverte d'une serviette. Sabine y transporta son fils, le démaillota, le souleva par les pieds, lui écarta les jambes avec douceur. Comme elle eût ouvert un artichaut. Il était tout souillé. Une odeur fétide se dégageait des couches. André regardait avec consternation cette atroce moutarde. Les narines pincées, Aurelio se détourna et dit :

— Quel petit cochon!

— Il faut que tu t'y habitues, dit Sabine.

— Je ne pourrai jamais!

— Tu exagères! Regarde André! Il tient le coup, lui!

André fit un sourire contraint. Sous son nez, Sabine lavait les fesses du nourrisson avec des bouts de coton imbibés d'eau. Un sexe disproportionné reposait entre deux cuisses arquées et maigriotes. Orgueil de la mère, qui avait donné le jour à un homme. Elle le torchait avec une sorte de rudesse émerveillée, comme si elle eût pris sa revanche sur le mystère de la virilité, dont elle subissait, par ailleurs, l'ascendant. Aurelio alluma une cigarette et mit un disque. Très fort. Léon prit son biberon en musique. Il tirait à pleines joues sur la tétine. Puis il s'arrêta et éclata en clameurs. Les yeux bridés, le menton tremblant, la bouche édentée. Une face de vieillard mécontent. Le trou de la tétine s'était bouché. Sabine l'élargit avec une épingle. André tripotait une Gitane entre ses doigts. Mais il hésitait à l'allumer.

— Tu crois que je peux fumer, moi aussi? dit-il.

— Et pourquoi pas? dit Aurelio.

— C'est peut-être mauvais pour le bébé, s'il y a trop de fumée dans la pièce...

Aurelio partit d'un éclat de rire :

— Absolument pas! Mon fils doit s'habituer à toutes les fumées, à toutes les pollutions, à tous les tam-tams. Il sera l'homme de demain. Sans obligations, sans attaches. La tête et les mains libres. Citoyen de nulle part. Mangeant à tous les râteliers. Prenant son plaisir selon son caprice et non selon les lois de la société.

— Oui, dit Sabine en élevant son bébé à deux mains, comme si elle l'eût offert au soleil. Aurelio a raison : tu seras un ogre, mon fils!

Et elle déposa l'enfant dans son berceau.

— Bon, dit André, mais toi, pour l'instant, tu n'es qu'une bonne femme comme toutes les bonnes femmes et le docteur a dit que tu devais te reposer encore pendant huit jours. Alors, au lit!

Ils étaient convenus que Sabine et Aurelio coucheraient dans la grande pièce avec le bébé, et qu'André s'installerait, lui, dans l'atelier. Tournant le dos aux deux hommes, elle se déshabilla lestement. Son pull-over, sa jupe, ses bas volèrent sur une chaise. Puis elle enfila sa chemise de nuit et pivota sur ses talons. La chemise de nuit était si transparente, qu'on voyait nettement, à travers le voile, ses seins qui s'étaient arrondis et le triangle blanc de son slip. Au lieu de se coucher, elle allait et venait dans la pièce, d'une démarche souple, touchait les objets, souriait, visiblement heureuse d'être de nouveau désirable :

— Ce bouquet, André, quelle merveille!

André la contemplait avec une sympathie amusée. Aurelio, en revanche, semblait ne pas la voir. Planté devant le couffin, les mains aux hanches, il examinait son fils avec attention.

— C'est extraordinaire, dit-il gravement. Ces oreilles, ces mains!... Tout y est! Et tu as vu les longs cils qu'il a? Il est quand même moins moche que le jour de sa naissance!...

Sabine continuait à tourner en rond, avec des airs de chatte reconnaissant son domaine après une longue absence. Enfin elle plongea dans le lit :

— Ce qu'on est bien, ici! soupira-t-elle. C'est pas croyable!

André lui proposa une partie de « scrabble » et s'assit au bord du divan avec la boîte. Ils commencèrent à jouer. Aurelio mit un nouveau disque sur l'électrophone.

— Claudia doit venir à cinq heures, dit Sabine. Elle m'a téléphoné ce matin, à la clinique.

— Cette conne! dit Aurelio. Je me serais bien passé d'elle!

— C'est ça! Fais le vide autour de moi!

D'ailleurs quand elle est là tu roules des yeux de veau.

— Moi?

— Oui, toi!

— Non, mais t'es complètement cinglée?

André ne dit rien mais regretta, lui aussi, la visite prochaine de Claudia. Il eût aimé rester avec Sabine et Aurelio, le plus longtemps possible, sans que personne ne déchirât la toile invisible qui se tissait, dans ce lieu clos, entre leurs trois têtes.

Des cris inarticulés? Un chat qu'on écorche. André s'éveilla en sursaut. Ah! oui, il y avait un nouveau-né dans la maison. Les vagissements continuaient, de plus en plus impatients et tragiques. Comment un si petit corps pouvait-il produire des sons si aigus? N'était-il pas malade? Affolé, André se glissa hors du lit et ouvrit la porte. Dans la grande pièce, où une seule lampe était allumée, Sabine était en train de changer l'enfant. Insensible à tout ce mouvement, Aurelio dormait, la face dans l'oreiller. Une de ses mains pendait jusqu'à terre. André descendit les marches et chuchota :

— Qu'est-ce qui se passe?

— Rien, dit Sabine. Il faut que je lui donne son biberon.

— Ah! C'est vrai! Il est déjà six heures?

Elle s'assit sur une chaise, prit le nourrisson dans ses bras et lui caressa les lèvres avec la tétine. Instantanément, le bébé cessa de pleurer et se mit à boire goulûment.

— Ma pauvre fille! Quel tintouin! dit André.

— C'est idiot que tu te sois réveillé! Tu sais, je pense à une chose : je crois que nous devrions déménager.

— Pourquoi?

— Nous ne pouvons pas continuer à t'encombrer comme ça!

— Si vous déménagez, je déménage avec vous, dit-il.

Elle tourna vers lui un sourire d'une telle douceur, qu'il en fut remué.

— Moi aussi, dit-elle, je crois bien que je ne pourrais pas vivre sans toi!

Il lui effleura la tempe d'un baiser. Un instant ils restèrent tête contre tête. Puis Sabine redressa le bébé pour lui faire faire son rot. Elle le maniait avec une dextérité surprenante. Où et quand avait-elle appris les gestes de la maternité? Aurelio poussa un soupir, se retourna d'un bloc et se haussa sur un coude.

— Quoi? dit-il.

— J'assiste au repas de ton fils, dit André.

Aurelio se leva, en pantalon de pyjama, le torse nu, traversa la pièce d'un pas de somnambule, ouvrit la fenêtre et dit :

— Il fait une chaleur, ici!

— Ferme! cria Sabine.

— Pourquoi?

— C'est pas croyable d'être égoïste à ce point : Léon va attraper froid!

Aurelio referma la fenêtre en maugréant, se recoucha et fouilla du nez son oreiller comme pour y retrouver la piste d'un rêve interrompu. Rendu à son berceau, le bébé ne bougeait plus, ne criait plus. André ramassa un roman policier qui traînait au pied du lit :

— Je le prends?

— Si tu veux, dit Sabine. Je l'ai lu. Ça ne casse rien. T'as pas sommeil?

— Non.

— Moi non plus. Si on faisait un « scrabble »?

— D'accord, dit André. Et on se tapera un bon café pour s'éclaircir les idées!

André alla préparer le café, tandis que Sabine disposait le « scrabble » sur la table basse. Ils s'assirent par terre, sur des coussins, sous la lampe. Aurelio dormait en respirant fort. André et Sabine buvaient leur café à petites lampées, scrutaient la rangée de lettres disposées devant eux sur une réglette, avançaient une main hésitante et annonçaient, à voix basse, leurs trouvailles. C'était André qui marquait les points, au dos d'un emballage de Gitanes. Deux colonnes :

« S » et « A ». Il additionnait les chiffres. Une lutte serrée. Enfin il prit un net avantage. Sabine s'écria avec une mauvaise foi comique :

— Je n'aurais pas dû te laisser mettre « quanta », ce n'est pas dans le dictionnaire!

— Mais si! La théorie des quanta! On en parle dans tous les journaux!

— Qu'est-ce que c'est, les quanta?

— Je ne sais pas, avoua-t-il. Un truc scientifique...

Elle bâilla :

— On fait la revanche?

3

A mesure qu'il montait les marches, les vagissements se renforçaient. Cela coulait de là-haut, comme une cascade. André ne s'en inquiétait pas : il avait l'habitude. Dans l'ensemble, il était content de sa matinée à l'atelier de lithographie. Il y avait travaillé jusqu'à trois heures de l'après-midi sans se rendre compte de la fuite du temps. Les plaques réalisées aujourd'hui étaient nettement supérieures à ses premiers essais. Son entrée dans l'appartement fut saluée par une explosion de cris aigres. Pas de Sabine, pas d'Aurelio. Seul, dans son couffin, Léon s'étranglait de colère. André le prit dans ses bras. Il le promenait d'une pièce dans l'autre, en le berçant à petites secousses. Sans doute l'enfant n'avait-il pas eu son biberon de deux heures. Sabine l'avait oublié. Heureusement qu'André était là! Il se mit en devoir de changer le bébé : il avait appris à le faire pour seconder Sabine. Une fois sur deux, d'après leurs conventions, c'était lui qui se levait, le matin, pour le biberon de six heures. Quand il passait devant le lit où elle reposait avec Aurelio, elle bougeait mollement, murmurait : « Merci », et se rendormait, confiante. Il traversait leur sommeil comme une figure de rêve. Aurelio, lui, était incapable de s'occuper de son fils. On ne le lui demandait même pas. Ce n'était de sa part ni maladresse ni mauvaise volonté. Plutôt une sorte de détachement supérieur. « Chacun son rôle », disait-il. Il avait beaucoup changé en deux mois. La fréquentation de Richter augmentait son assurance. L'argent touché sur les premières maquettes l'avait comme électrisé. Il s'était commandé deux nouveaux costumes. Lui qui naguère s'accoutrait en gitan paraissait acquis maintenant à une élégance plus stricte. Son allure dégagée émerveillait Sabine. Du reste il était de plus en plus attentionné envers elle. Peut-être, ayant rompu avec Charlotte, était-il mûr pour la fidélité? Les doigts d'André allaient et venaient autour du bébé hurleur. Plus rien ne le dégoûtait dans ce petit animal exigeant et vulnérable. Il le torchait avec sérénité, étalait de la pommade sur les fesses rougies, croisait les couches sur le ventre. Pendant qu'il le remuait, le bébé lâcha un rot. Imperturbable, André lui donna son biberon. L'enfant suçota la tétine et se remit à pleurer. Manifestement, il n'avait plus faim. Eh bien! On n'allait pas le forcer. Sa tête légère reposait dans le pli du coude d'André. Attendri, il le berça, selon une longue cadence chaloupée. Il marmonnait :

— Oh! oh! Veux-tu? Là, là!...

Le minuscule visage se froissa dans une grimace simiesque. La bouche s'ouvrit, libérant un flot blanchâtre. Découragé, André essuya cette bave chargée de lait caillé et recoucha le bébé sur le côté, dans son berceau. Les pleurs reprirent. Mais assourdis. Et Sabine qui ne venait toujours pas! André se laissa tomber de tout son poids dans un fauteuil. Il était fatigué, il avait sommeil. Ce bébé les mettrait tous sur le flanc. Sabine avait maigri en deux mois. (Cela lui allait bien, du reste!) Jamais la maison n'avait été plus en désordre. Des langes et des brassières séchaient sur une ficelle, dans la cuisine. La housse du divan recouvrait négligemment une literie froissée. De vieux journaux traînaient à côté d'une pile de couches. Les chemises d'Aurelio et d'André, expulsées du placard par la layette, s'entassaient par terre, dans des cartons. Çà et là, sur le tapis, blanchissait un tampon d'ouate. Comme si des moutons étaient passés par là. Léon geignait toujours. « Mais qu'est-ce qu'il a? » Les paupières d'André s'abaissaient toutes seules. Il luttait contre une grande vague grise. Elle le prenait, le soulevait, l'emportait, et il se retrouvait glissant sur une plaque lithographique comme un crachat de couleur. Le bruit d'une porte qui se refermait l'éveilla : Sabine. Enfin!

— Tu sais, dit-il, je lui ai donné son biberon et, tout de suite après, il a vomi.

— Quel biberon? demanda Sabine.

— Celui de deux heures. Tu n'étais pas là. Il était déjà trois heures et demie.

— Tu es fou! Je le lui avais donné, moi, avant de partir...

— Il pleurait tellement!... J'ai cru qu'il avait faim!

— Toi, alors!... Si chaque fois qu'il pleure tu lui donnes un biberon!...

— Tu aurais pu me laisser un mot pour m'avertir!

— Ce n'est pas grave. Tu vois, maintenant, il dort.

— Où étais-tu?

— J'ai fait des courses avec Aurelio. Il range la voiture.

Elle dit ces derniers mots avec une importance comique. Grâce à l'argent de Richter, Aurelio venait de racheter la voiture de Thomas : une M.G. verte, inconfortable et rapide. Des pneus neufs. Le moteur révisé. Une affaire!

— Tu veux voir? reprit Sabine en ouvrant un grand sac de plastique.

— Qu'est-ce que c'est?

— Devine!... Une robe pour ce soir!

— Tu as acheté une robe sans moi? s'écria-t-il. C'est trop fort!...

Déjà elle se changeait devant lui.

— Oh! écoute! dit-elle en dégrafant sa jupe. Pour une fois! J'étais avec Aurelio...

Brusquement il eut sous les yeux une jeune femme neuve, en robe bleu nuit, au corsage garni de paillettes.

— Tu aimes? demanda-t-elle.

— Sublime!

— Ça me mincit!

— Tu n'en as pas besoin.

— C'est fou ce que j'ai grossi de poitrine!
— Tu en as un peu plus. Ce n'est pas mal.
— Tu parles comme Aurelio!

Elle rit en renversant la tête.

— Et lui, finalement, est-ce qu'il s'est acheté des chaussures? demanda André.
— Oui. Très chouettes. Tu verras.

Il y eut un silence.

— Ce n'est peut-être pas raisonnable que j'aille avec vous à ce dîner, dit André.
— Pourquoi?
— On ne peut plus laisser Léon tout seul!
— Toi, si je t'écoute, tu vas te transformer en nounou! s'écria Sabine. Et puis ce ne serait pas gentil pour Richter. Il compte sur toi!

Elle était très excitée à l'idée de ce dîner chez « Maxim's », où elle n'avait encore jamais mis les pieds. Aurelio non plus ne connaissait pas l'établissement. Seul des trois, André pouvait se prétendre blasé. Il ne l'était pas d'ailleurs. Mais, pour fêter la première litho signée par lui, il eût préféré que Richter les invitât dans un restaurant plus simple. Il le dit à Sabine. Elle protesta :

— Tu nous embêtes! « Maxim's », c'est tout de même quelque chose! Depuis le temps que j'ai envie d'y aller!...

Aurelio entra en faisant sauter dans sa main les clefs de la voiture.

Bien qu'il eût déjà dîné plusieurs fois chez « Maxim's » avec Gérard, André était si distrait par la musique langoureuse de l'orchestre et les courbes serpentines de la décoration murale, qu'il ne voyait pas ce qu'il avait dans son assiette. Richter trônait entre Sabine et une grande jeune femme aux cheveux noirs laqués, qui répondait au prénom d'Edwina. Il y avait là encore un certain William, maigre, au front dégarni et au regard trop doux, une autre femme, Laurette, molle comme un édredon, deux adolescents insipides et pomponnés. Tous des amis de Richter, qui, sans doute, formaient sa cour habituelle.

On s'était beaucoup amusé à choisir les plats sur la carte. Foie gras, coquilles Saint-Jacques au safran, poularde au concombre... Chacun avait combiné son menu, selon les conseils onctueux du maître d'hôtel. Les yeux de Sabine scintillaient d'un plaisir insolent. Elle grignotait, bavardait avec son voisin, buvait du champagne. William se pencha vers son oreille. Elle rit et reposa son verre. Aurelio, lui, avait l'air paisible et désabusé dans son costume gris anthracite. Mais André le savait curieux de tout, avide de tout. La musique assourdissante empêchait d'entendre ce qu'il disait à Edwina. Richter ne le quittait pas du regard. De toute évidence, Aurelio l'intriguait. André en était à la fois agacé et flatté. Ils finissaient de dîner, lorsque les serveurs dégagèrent la piste de danse. L'orchestre attaqua un air de jazz. Aurelio invita Edwina à danser, tandis que William invitait Sabine et l'un des jeunes gens, Laurette. Puis Aurelio et Sabine dansèrent ensemble. Accordés au rythme de la musique, ils semblaient poursuivre un jeu d'amour commencé dans la chambre. Richter quitta sa chaise et vint s'asseoir à côté d'André, en tenant son verre à la main. Il voulait boire à la réussite de leur entreprise.

— Ça va marcher très fort, ces lithos, dit-il.

Il parlait parfaitement le français, mais avec un accent nasillard et en mangeant la moitié des mots. Ses fréquents séjours à Paris l'avaient rendu, disait-il, « plus Européen qu'Américain ». Les cheveux gris coupés en brosse, le menton romain, le nez busqué — il émanait de lui une impression de force pondérée. André trempa se lèvres dans le champagne et marmonna :

— Il est difficile, pour moi, de savoir ce qui plaira aux Etats-Unis.

— Moi, je sais, dit Richter. Et Aurelio aussi sait. Il est extraordinaire, Aurelio! Quel flair, quel dynamisme! Un garçon de grand avenir, vous ne trouvez pas?

— Si, si...

— Malheureusement il ne parle pas assez bien l'anglais : il faudra qu'il apprenne. Oh! ça viendra très vite. Il a de telles dispositions! D'abord il faut le mettre dans le bain, comme vous dites.

— Quel bain?

— Le bain des affaires. Les U.S.A., vous savez, ce n'est pas la France. Je vais l'emmener avec moi à New York, pour quelques jours, et le présenter à mes *partners*. Là-bas, il apprendra à connaître le marché de la litho. En revenant en France, il saura ce qu'on demande outre-Atlantique. Il pourra vous guider et guider d'autres artistes, passer des commandes, faire un peu ce que je fais, moi, en ce moment, et ce que je n'aurai bientôt plus le temps de faire, vous comprenez?

— Très bien, dit André.

Et il éprouva une sensation vague d'insécurité. Toutes les arabesques du décor tombaient sur lui tels des tentacules. Il étouffait sous un excès de courbes de cuivre, de volutes de verre, de lianes d'acajou. La nappe blanche, le seau à champagne, les verres à demi pleins, les éclats de l'orchestre, un tourbillon de visages... Tous les convives, hommes et femmes, avaient un air satisfait, opulent, outrecuidant. Leur richesse catégorique donnait la nausée. « Qu'est-ce que je fais dans ce monde qui n'est pas le mien? » Richter s'intéressait trop à Aurelio, Richter cherchait à accaparer Aurelio... Comme s'il eût deviné la pensée d'André, Richter posa une main lourde sur son épaule.

— Vous ne croyez pas que ce serait une bonne chose pour Aurelio? dit-il.

— Oh! si... évidemment...

Maintenant Richter regardait les danseurs, ses yeux bleu d'émail se plissaient dans une expression de chasseur à l'affût :

— Charmante, cette petite Sabine. Elle a un enfant de lui, n'est-ce pas?

— Oui.

— Dommage! Dommage! Quelle rage ont-ils, les jeunes, de se ligoter comme ça, au départ?

L'orchestre se tut. Les couples regagnèrent la table. Au lieu de se rasseoir, Sabine se pencha sur André et lui chuchota à l'oreille :

— Il faut que je fasse un saut à la maison pour le biberon de Léon.

— Je t'accompagne, dit André en se levant.

— Ce n'est pas la peine : je peux très bien y aller seule.

— Ça me fait plaisir.

Elle s'excusa auprès de Richter en promettant de revenir très vite. Aurelio lui envoya un baiser, du bout des doigts, tandis qu'elle s'éloignait.

Assis à côté de Sabine dans la voiture, André souffrait de ne pouvoir lui confier les raisons de sa brusque tristesse. Puisqu'elle ne se doutait de rien, il n'avait pas le droit d'attirer son attention sur l'engouement de Richter pour Aurelio. Que faire? Il regardait, devant lui, le défilé interminable des réverbères allumés. Etait-ce son âme ou son corps qui avait pris une position incommode? Il détestait Richter, il ne comprenait pas Aurelio, il s'en voulait d'être jaloux. La voiture, ayant contourné la place de la Concorde, roulait sur le quai des Tuileries. Les mains sur le volant, le regard horizontal, Sabine murmura :

— Tu sais ce qu'Aurelio vient de me dire en dansant? Il paraît que Richter lui a proposé de l'emmener à New York. Il y resterait quelques jours pour prendre contact avec les associés de l'affaire. Et, en rentrant à Paris, il aurait une situation toute trouvée. Tu te rends compte? On n'aurait plus de soucis à se faire!

André baissa la tête.

— Oui, oui, dit-il, Richter m'en a également parlé tout à l'heure. Ce serait probablement très bien.

Ils découvrirent Léon endormi dans son couffin.

— Tu vois, on n'avait pas besoin de tant se dépêcher, dit Sabine en changeant son fils.

Elle lui donna son biberon, le recoucha, inclinant au-dessus de lui son corsage pailleté et ses yeux pleins d'une noire lumière, se recoiffa devant la glace et dit gaiement :

— Tu es prêt? On s'en va!

— Je préfère rester ici, dit André.

— Pourquoi? C'est tellement formidable, ce « Maxim's »!

— Je suis un peu fatigué.

— Tu n'es pas drôle! Qu'est-ce que je vais dire à Richter, moi? Il ne sera pas content...

— Penses-tu! Il ne s'apercevra même pas de mon absence. L'important, pour lui, c'est Aurelio!

Elle ne releva pas l'aigreur de cette remarque, baisa son fils sur la joue, se contempla une dernière fois dans la glace et partit avec la légèreté d'une fillette impatiente de retourner jouer.

Après qu'elle se fut éclipsée, André inspecta la pièce du regard : on s'était habillé en hâte pour ce fameux dîner, et, dans la bousculade, les vêtements avaient volé aux quatre coins. Machinalement il rangea les bas et la culotte de Sabine, jeta les chaussettes d'Aurelio au sale, rapporta les biberons vides dans la cuisine. Tout à coup il décida qu'une douche lui ferait du bien. Il en avait déjà pris une avant de partir. Peu importe : c'était comme s'il fût revenu d'une longue marche dans la boue. Une fois sous la douche, il se demanda pourquoi il en avait eu envie. L'eau coulait sur sa tête mais ne lavait pas ses idées. La glace embuée lui renvoyait l'image de son corps mou, de son visage épais et triste, à l'œil noyé, aux cheveux humides plaqués sur le front. Il éprouva de la répugnance pour cette nudité bouffie et blafarde que l'ampoule électrique éclairait méchamment. Comment pouvait-on l'aimer? Comment ses amis supportaient-ils sa présence? Comment Aurelio...? Vite, il s'enveloppa dans un peignoir de bain. Ainsi, du moins, cachait-il le plus laid. Puis il se brossa les dents jusqu'à faire saigner ses gencives. Par hygiène ou pour se punir? Il coupa les ongles de ses orteils. Des poils sur les phalanges. Cocasse. Dieu, qu'il était mal dans sa peau! Il eût voulu se fuir. Veines ouvertes. Un suicide indolore, à la romaine. De cela aussi il était incapable. Il retourna dans la grande pièce et se pencha sur le berceau. Le bébé dormait, repu, les poings serrés. André mit un disque sur l'électrophone. Un vieil air des Beatles. En sourdine. Là-bas, Aurelio devait danser avec Sabine, avec Laurette, avec Edwina, sous l'œil froid et possessif de Richter. Un livre, n'importe lequel. Affalé sur le divan, André tournait des pages. N'eût-il pas mieux fait de sortir? Aller au « Tilt ». Lever un garçon. Et puis, quoi? Non, sa place était ici. Entre la porte et le berceau. Regardant la montre. Attendant leur retour à tous deux.

4

Sur la table à couleurs, Julien, le conducteur de machine, malaxait, avec sa raclette, une pâte rose vif. Quand le ton fut uniforme, il l'essaya sur un bout de papier et approcha l'échantillon de l'original, fixé au mur. Une gouache : « Femme pensive au bouquet ». André n'en était pas mécontent.

— Rajoutez du carmin, dit-il.

— Je veux bien, dit Julien, mais ça va déséquilibrer tous les rapports de tons.

— On modifiera les autres couleurs en conséquence.

Julien rajouta du carmin. La pâte sembla s'animer, sous le jeu de la spatule, tandis qu'un filet de sang frais pénétrait dans son épaisseur. Nouvel essai. Deux bouts de papiers frottés l'un contre l'autre. Comparé au rose de la maquette, celui-ci était plus violacé. Faudrait-il se contenter de cet à-peu-près? Julien jura qu'on pouvait faire mieux. Ils recommencèrent. Dans le vieil atelier vitré, régnait une odeur d'encre, de benzine et d'huile. Des ouvriers en blouses grises évoluaient parmi les chiffons et les pots de couleur. Deux d'entre eux faisaient sécher une plaque en agitant de petits éventails de carton, comme s'ils eussent chassé les mouches au-dessus d'un sommeil princier. Le temps ne comptait pas pour tous ces gens habitués à la recherche de la perfection. A la dixième reprise, André jugea le résultat satisfaisant. Julien garnit l'encrier de la presse à bras. Un tour de volant, et la grande feuille de papier vélin tomba dans les mains du receveur. Toutes les taches roses de l'original y étaient reproduites, séparées par de larges passages blancs.

— Pas mal, dit André en inclinant la tête sur le côté.

La porte de l'atelier retomba dans un bruit de vitres secouées. Entre deux machines plates, apparurent Aurelio et Richter. Pourquoi ensemble? Aurelio était déjà venu une fois, par curiosité. Richter aussi, mais seul. Et voici qu'aujourd'hui... Aurelio prit une épreuve en main et se campa devant l'original avec un air d'examinateur.

— Cette « Femme pensive au bouquet » sera la plus belle litho de la série, dit Richter. Elle répond tout à fait à l'état d'esprit actuel aux U.S.A. Vous savez, l'art abstrait, c'est fini là-bas, pour le grand public. On veut du romantisme!

— Oui, dit Aurelio, mais justement, à mon avis, la « Femme pensive au bouquet » n'est pas assez romantique. Les couleurs de la ma-

quette sont trop sourdes. Il faudrait rattraper ça, en douce, sur la litho. Faire quelque chose de plus gueulard, de plus commercial...
— Je ne ferai pas quelque chose de plus commercial, comme tu dis, grommela André. Au contraire, je vais éteindre tout cela, travailler dans le camaïeu.
— T'as tort.
— J'ai mon idée là-dessus, tu permets!
— Une idée qui ne tient aucun compte du temps où nous vivons et des gens auxquels tu t'adresses...
Richter intervint avec un grand rire :
— Ayez confiance en Aurelio, mon cher. Il a le coup d'œil. Et le sens des affaires. En l'écoutant, vous serez sûr de ne pas vous tromper.
— Si je dois travailler sur commande, je préfère renoncer, dit André sèchement.
Et la violence de sa réaction l'étonna. D'habitude, il écoutait les critiques d'Aurelio avec intérêt, parfois avec gratitude. Pourquoi maintenant trouvait-il insupportable de recevoir une leçon de lui? D'autant plus que ces remarques n'étaient pas injustifiées. Il y avait une certaine fadeur dans la « Femme pensive au bouquet ». Fadeur qui serait encore accentuée par le procédé lithographique, à cause du caractère « couvrant » des couleurs. Un peu plus de transparence, un accent vif, çà et là, eussent fait palpiter les mille touches de la composition. Non, il ne voulait pas céder. Surtout pas devant ce Richter qui observait la scène de son œil bleu, ironique :
— Faites comme vous voulez, mon cher.

Ma règle, c'est de laisser toujours le dernier mot à l'artiste.

Comme il était sûr de lui, cet Américain, dans son pardessus de loden gris, avec ses cheveux coupés en brosse! Une odeur de ragoût se mêla à l'odeur acide des machines : les ouvriers faisaient chauffer leurs gamelles, dans un coin de l'atelier. Bientôt midi.

Richter serra la main d'André, tapota l'épaule d'Aurelio et lui dit avec une rude douceur :

— Je vous laisse. J'ai un rendez-vous à l'autre bout de Paris. Vous me téléphonez à cinq heures, n'est-ce pas?

— J'essaierai, dit Aurelio.

Quand Richter fut parti, il sembla à André qu'un gros camion, qui obstruait la route, venait de s'échapper par une voie transversale. Tout à coup le champ était libre devant lui. Aurelio dit :

— Où déjeunes-tu?

— Dans un bistrot, à côté. Je veux reprendre le boulot à deux heures.

— Alors je reste avec toi.

— Tu ne devais pas déjeuner avec Sabine?

— Je vais lui téléphoner.

Ils sortirent de l'atelier et allumèrent une cigarette. Des maisonnettes basses entouraient une cour de terre battue. Un arbuste rachitique tendait ses branches par-dessus une palissade. Où était Paris? André entraîna Aurelio vers un bistrot tranquille de la rue des Plantes. Chemin faisant, Aurelio dit :

— Richter est vraiment très emballé, tu sais?

— Je m'en fous, dit André.

— Ne fais pas le con. Je te l'ai déjà dit : s'il arrive à t'imposer aux U.S.A., c'est la consécration, c'est la fortune!

André remarqua qu'Aurelio disait les U.S.A., comme Richter, et non plus les Etats-Unis.

— Figure-toi, grogna-t-il, que la consécration, la fortune, selon ton expression, je m'assieds dessus. Il y a des choses autrement importantes, pour moi, dans la vie!

— Quoi, par exemple?

— L'amitié.

— Et alors? Ça n'empêche pas!

— J'ai l'impression que si!

— Qu'est-ce qui te fait dire ça?

— Richter! Depuis que tu le connais, tu as changé du tout au tout!

— Non, mais ça ne va pas chez toi!

— Tu es devenu suffisant, cassant... Tu tranches... Tu... tu ramènes tout à toi... Tu parles et c'est Richter que j'entends... Encore un peu et tu prendrais l'accent américain... Qu'est-ce que tu lui trouves à ce vieux? Tu as couché avec lui?

André regretta d'avoir posé la question. Il y eut comme un battement d'ailes dans sa poitrine. Aurelio leva les sourcils au milieu du front et dit doucement :

— T'es pas dingue?

— Non, je t'observe!

— Alors mets des lunettes! Richter m'intéresse, c'est exact. Parce que c'est un mec remarquable. Un homme d'affaires doublé d'un homme de goût. J'apprends beaucoup avec lui. Pourquoi ne pourrait-il pas être un ami pour moi? Et pour toi aussi? Tu n'en as pas marre de traîner la savate, à trente-cinq ans?

— Tu vas vraiment partir avec lui?

— Oui, mercredi prochain.

André tressaillit. Un coup sur la nuque.

— Et tu resteras longtemps?

— Une huitaine de jours. Peut-être quinze...

Ils étaient entrés dans le bistrot et avaient choisi une table, près de la fenêtre. Un garçon s'approcha :

— Vous déjeunez?

— Oui, dit Aurelio. Deux menus et une carafe de rouge.

— Quinze jours! murmura André.

— Au maximum. Mais je serai sans doute obligé de repartir. Tu ne vas pas me faire une scène à chaque voyage! Sabine, elle, a très bien pigé. Tu sais, mon vieux, que tu es impossible!...

André se dit qu'Aurelio avait raison. Ses craintes étaient exagérées. On n'attache pas un être jeune par une corde à un piquet. Après tout, ce Richter avait peut-être réellement des intentions généreuses. Aurelio parlait toujours, avec chaleur, en regardant André bien en face. Il n'y avait pas de mensonge dans ces yeux-là :

— Richter m'a expliqué sa méthode. Il fait des expositions de lithos dans le hall des grands hôtels, un peu partout, aux U.S.A. Sur le bénéfice de la vente, la direction de l'hôtel prélève un pourcentage. L'exposition dure trois jours, quatre jours... Et hop! On change de ville... Si ça marche, il faudra que tu y ailles, toi aussi. On fera un voyage ensemble...

Il avait posé sa main sur la main d'André. Sa voix était tendre, son regard pénétrant. André l'écoutait avec reconnaissance. Une brise légère sur un champ de blé. Tous les coquelicots s'inclinent. Le garçon apporta la carafe de vin.

— Tu avais dit que tu téléphonerais à Sabine, dit André.

Aurelio se leva, demanda un jeton de téléphone à la caisse et disparut derrière une porte en verre dépoli.

5

André prit les lettres des mains de la concierge : prospectus, factures, rien d'Aurelio. Depuis trois semaines qu'il était à New York, il aurait tout de même pu donner de ses nouvelles!

Lorsque André rentra dans la pièce, Sabine, qui recousait l'ourlet de sa robe, leva les yeux sur lui. Leurs regards se rencontrèrent. Sans un mot, André jeta le courrier sur la table. Sabine comprit et se pencha de nouveau sur son ouvrage. André se rassit à côté d'elle sur le divan et reprit l'aiguille en main. Il élargissait un pantalon. C'était plus facile que de maigrir. Longtemps ils poursuivirent leurs travaux de couture, en silence. Le bébé, dans son couffin, poussait de petits cris inarticulés et gigotait de bien-être.

— Qu'est-ce que tu comptes faire, ce soir? dit-elle soudain.

— Bouquiner, dit André. Ou bien j'irai voir Gérard.

— Ça m'ennuie que Léon reste seul.

— Ne t'en fais pas : si je sors, je demanderai à la concierge de le garder, comme l'autre fois. Tu penses rentrer vers quelle heure?

— Vers minuit.

André réfléchit et murmura :

— Dis-moi, ce type, il m'a l'air de plus en plus collant!

— Collant, William? Tu n'y es pas! Il est la gentillesse même! J'adore passer une soirée avec lui!

— Trois dîners en huit jours; bientôt tu ne vas plus le quitter!

Sabine haussa les épaules sans daigner répondre, retira son pull-over, sa jupe, et disparut dans la salle de douches. Elle chantonnait sous la cataracte. Peu après, elle revint, à demi nue, une serviette de bain en travers du corps. Elle s'essuyait avec une tranquille impudeur. André voyait tantôt un sein, tantôt une cuisse, tantôt le creux d'une aisselle, tantôt le bas d'un ventre rond et moelleux, marqué d'un triangle de mousse brune. Elle enfila sa robe rectifiée.

— Comme longueur, ça va? demanda-t-elle.

— Tout juste.

— Et l'arrondi?

Elle tourna sur elle-même.

— Parfait, dit André. Tu es très belle. Ton William sera subjugué!

— Pauvre William! dit-elle en riant. Il ne se doute sûrement pas que tu le détestes à ce point.

Elle retourna dans la salle de douches pour se maquiller, reparut avec des yeux de nuit, et dit encore :

— Tu verras qu'il ne nous enverra même pas une carte postale!

— S'il nous écrivait, il ne serait plus tout à fait Aurelio, dit André. Il faut le prendre comme il est.

— Quel salaud! soupira-t-elle.

Il y avait de l'admiration dans sa voix.

Dès qu'elle fut partie, André sentit qu'il ne pourrait supporter la solitude. Il téléphona à Gérard, se fit inviter à dîner et descendit prévenir la concierge, qui accepta de garder Léon jusqu'à onze heures.

Gérard était dans une disposition d'esprit pessimiste. Pendant le repas, il critiqua amèrement les tentatives absurdes de l'art abstrait, les nouvelles tendances du cinéma, les dernières réalisations de l'architecture française. Tout ce qui dérangeait ses habitudes esthétiques le hérissait. Sa conversation n'était qu'un long réquisitoire. Visiblement il ennuyait Claudia. Un jour ou l'autre, elle le quitterait de nouveau. André essaya de contredire Gérard, avec ménagement, puis y renonça et se laissa rouler par cette vague venue du fond des siècles. L'art s'arrêtait aux impressionnistes; aussitôt après, s'ouvrait l'ère du commerce; il fallait être fou pour aimer notre époque scientifique, mercantile et sociale...

A onze heures dix, André était de retour chez lui. Tout était en ordre. Léon avait eu son biberon. La concierge, maigre et chlorotique, tricotait, assise sur le divan. Elle prit congé après avoir empoché sa gratification. André monta se coucher dans l'atelier. Le sommeil le recouvrit, alors qu'il repassait en esprit les derniers propos de Gérard. Il avait perdu toute conscience, lorsque la sonnerie du téléphone lui troua le cerveau. Debout. La lampe allumée. Un regard à la montre : quatre heures du matin. Ça va réveiller Léon! Il se précipita au bas des marches. Le divan vide. Sabine n'était pas encore rentrée. Et le téléphone qui lançait toujours, à intervalles réguliers, son appel idiot! André décrocha et reçut un choc : la voix d'Aurelio. Nette, pressante, joyeuse. Comme s'il se fût trouvé dans la pièce voisine. Une farce!

— Où es-tu? demanda André.

— Ben à New York, dit Aurelio.

— Ça va?

— Très bien. Tu me passes Sabine.

André éprouva un mesquin sentiment de revanche : Aurelio n'avait que ce qu'il méritait.

— Elle n'est pas là, dit-il d'un ton détaché.

L'écouteur éclata contre son oreille :

— Comment ça?

— Eh! oui, elle est sortie...

— Sortie? Il est quatre heures du matin, à Paris, si je calcule bien!

— Oui, et à New York?

— Onze heures. Qu'est-ce qu'elle fout dehors à quatre heures du matin?

— Ne gueule pas : elle est avec des amis.

— Quels amis?

— Je n'en sais rien, moi! Il faut bien qu'elle se distraie un peu. Tu ne t'en fais pas, toi, à New York.

— Je suis à New York pour affaires, je construis l'avenir...

— Et ça t'occupe tellement que tu ne trouves même pas le temps de nous écrire! Quand reviens-tu?

Aurelio évita de répondre avec précision : il n'avait pas, disait-il, d'adresse fixe et ne connaissait pas encore la date de son retour. Tout dépendait de Richter, qui, par parenthèse, se montrait de plus en plus « coopératif ». L'appareil collé contre la joue, André se laissait envahir par cette voix noire, familière, dont les moindres inflexions le troublaient. Aurelio lui donna des nouvelles de ses lithos qui « partaient » très bien, s'enquit de la santé de Léon, affirma qu'entre New York et Paris il n'y avait pas un décalage de cinq heures mais de cinquante ans... Et tout ce qu'il disait revêtait pour André une importance capitale. Il avait l'impression qu'on le nourrissait à distance. Son être entier s'ouvrait à une chaude transfusion. Aurelio grogna encore contre Sabine, promit de retéléphoner un de ces jours et, soudain, retourna dans un autre monde, inaccessible aux voix et aux regards. En reposant l'appareil, André avait le cœur en fête et les yeux embués de larmes. Il venait de recevoir une visite, mais si rapidement qu'il restait sur sa faim. Tant pis pour Sabine. Quelle bécasse! Dire que c'était à cause de sa ridicule sortie avec ce William qu'elle avait manqué Aurelio! Au fait, pourquoi n'était-elle pas encore rentrée? Allait-elle passer la nuit avec ce type?

Il ramassa machinalement une brassière qui

traînait par terre et la posa sur le coin de la table basse. Plus question de dormir. En quelques mots, Aurelio avait ravivé tous les regrets. Peut-être n'avait-il téléphoné que pour empêcher André et Sabine de s'installer dans son absence. Il n'avait pas réellement besoin d'eux; c'étaient eux qui avaient besoin de lui. Et puis après? Que signifiaient ces comptes parallèles : crédit, débit. En amitié comme en amour, n'est-ce pas celui qui donne le plus qui est finalement gagnant? André prit un jeu de cartes, le battit, étala une patience sur le divan.

A cinq heures et demie, une clef tourna dans la serrure et Sabine parut, aussi fraîche qu'à son départ. Immédiatement André attaqua :

— Aurelio a téléphoné. Il était quatre heures du matin. Je te prie de croire qu'il a été plutôt surpris de ne pas te trouver à la maison!

— Il n'avait qu'à téléphoner plus tôt! dit-elle. On n'a pas idée d'appeler les gens en pleine nuit! Comme toujours, il n'a pensé qu'à lui! Qu'est-ce qu'il raconte?

André lui rapporta succinctement leur conversation.

— En somme il ne t'a dit ni où il habitait, ni ce qu'il faisait, ni quand il pensait revenir, conclut-elle. Et tu es content avec ça?

André ne put supporter cette tactique féminine qui consistait à dénigrer les autres pour n'avoir pas à se justifier soi-même. Pour l'instant, ce n'était pas Aurelio qui était en accusation, mais elle. Elle qui avait passé la nuit dehors!

— Tu cherches à noyer le poisson, dit André. Aurelio, lui, là-bas, travaille, et toi, ici, tu t'envoies en l'air!

Il s'attendait qu'elle protestât. Mais elle se contenta de sourire et dit :

— Tu te figures qu'il vit comme un moine, à New York. S'il est libre, je le suis aussi. Après tout, nous ne sommes pas mariés!

— Oh! Je sais! Et c'est assez triste pour Léon!

— Je me demande ce que tu trouves de triste là-dedans : Léon ne manque de rien...

— Aurelio ne l'a même pas reconnu!

— Qu'est-ce que ça changerait, s'il le reconnaissait?

— Il... il lui donnerait son nom.

— Le mien est plus joli! dit-elle en riant. Et puis Léon est *mon* enfant. Pas le sien!

— Ton enfant! Ton enfant! Il n'est l'enfant de personne!

— Oh! dis! ça suffit comme ça! Tu m'agaces avec tes principes à la gomme!

Elle se pencha sur le berceau et arrangea les couvertures de Léon. La colère d'André se ralluma.

— Laisse-moi te dire que tes sorties avec ce William sont inadmissibles! s'écria-t-il. Je te demande, très sérieusement, d'y renoncer.

— Tu n'as rien à me demander!

— Si tu continues, je dirai tout à Aurelio!

— Ce que t'es drôle! Ma parole, tu me fais une scène de jalousie!

— Pas du tout, mais en l'absence d'Aurelio...

— ... tu le remplaces, c'est ça?

Elle lui effleura le menton du doigt et fit mine de lui offrir ses lèvres. Il vit, à quelques centimètres de sa figure, une bouche entrouverte, des dents blanches. Un sentiment de solitude l'étreignit. Toute une partie du monde lui échappait.

Elle avait sûrement couché avec William. Et après? De quoi allait-il s'inquiéter, alors qu'Aurelio acceptait tout avec philosophie? Un souffle tiède passa sur son visage. Elle respirait sous son nez, d'un air de malice et de provocation. Il se détourna. Elle poussa un soupir :

— Tu es un drôle de type, André! Je t'aime tellement!

Et elle fila dans la cuisine pour préparer le biberon. Elle s'occupait de son enfant avec une gaieté vorace. Comme si les heures de plaisir qu'elle venait de vivre au loin le lui eussent rendu deux fois plus cher. Du lit au berceau, la démarche était naturelle. Elle changea Léon, le nourrit, le couvrit de baisers gloutons. André la regardait faire avec une curiosité d'entomologiste. Léon pleurnicha avant de se rendormir. Sabine se coucha sans se démaquiller.

— Je suis éreintée, dit-elle avec un sourire radieux.

— Je te ferai remarquer que tu as donné le biberon de ton fils une demi-heure trop tôt, dit-il.

Il la baisa au front et retourna dans l'atelier. Pelotonné sous les couvertures, il contemplait les toiles pendues au mur, avec leurs grandes taches de couleur, et s'efforçait d'envisager la situation en toute sérénité. Un autre homme dans la vie de Sabine. Et lui, impuissant à la raisonner. Mais ce n'était qu'un jeu. Elle s'amusait à courir, de droite et de gauche. Comme ce chien, entre les autos, sur la route de Grasse. André éteignit la lampe.

6

— Tiens, c'est pour toi, dit André en tendant le téléphone à Sabine.

Et il se planta devant elle, pesant, les bras croisés, l'œil funèbre. Rien ne le ferait bouger de sa place. Elle lui décocha un regard narquois et prit sa voix la plus musicale pour répondre. Il n'entendait que ce qu'elle disait mais reconstituait facilement le dialogue. Non, il n'était pas trop tôt; ce concert, hier soir, quelle déception; à déjeuner? mais oui, elle était libre... André l'interrompit sèchement :

— Je te signale que j'ai rendez-vous, dehors, à midi. Et je ne rentrerai pas avant cinq heures. Je ne pourrai donc pas garder Léon.

Il mentait. Mais c'était un cas de force majeure. Sabine murmura :

— Attends une seconde, William.

Et, tournée vers André :

— Tu ne m'avais pas dit!...

— C'est comme ça.
— Il n'y a qu'à demander à la concierge.
— Tu sais bien qu'elle n'est jamais libre dans la journée.
Sabine fronça les sourcils et revint à son correspondant :
— Ecoute, je suis désolée... Pour le déjeuner, ce ne sera pas possible... Oui, à cause de mon fils... Je ne peux pas le laisser seul... André n'est pas là, aujourd'hui...
Tout en parlant, elle ne quittait pas André du regard, comme pour mieux lui faire sentir l'embarras où il la mettait. Et soudain elle parut régénérée. Le bonheur affluait vers elle par le fil noir du téléphone. Ses yeux, ses lèvres, tout s'animait.
— Ce serait très chouette! s'écria-t-elle. Vraiment, ça ne t'ennuie pas? Eh bien! Alors, vers une heure. Ciao!
Elle reposa le combiné et dit :
— Tout s'arrange : William vient déjeuner à la maison.
Stupéfait, André bredouilla :
— Quoi? Tu n'y es pas! Il n'y a rien à manger ici! Et on n'a plus le sou!
— William a dit qu'il apporterait tout ce qu'il fallait.
Une froide rancune envahit André. Il se sentit devenir injuste, retors et malheureux.
— Très bien, marmonna-t-il. Mais je te préviens que je ne sors pas.
— Pourquoi m'as-tu dit tout à l'heure...?
— J'ai changé d'avis.
— Ce que tu peux être tordu, toi, alors, depuis quelque temps!

— Moins que toi, ma vieille!

— Eh bien! reste, dit-elle rageusement. Cela te donnera l'occasion de mieux connaître un homme charmant.

— Je vais le foutre à la porte, ton homme charmant!

Sabine pouffa de rire :

— Chiche! On va bien rigoler!

Il se la rappela, nue, après sa douche. Pour un peu, il l'eût giflée. Elle se balançait d'avant en arrière. Il laissa retomber le bras. Personne n'avait peur de lui.

— Quelle heure est-il? demanda Sabine.

— Midi.

— Mon Dieu! cette maison est un vrai foutoir! Tu veux m'aider à ranger?

— Non, dit-il.

Et il s'assit lourdement dans un fauteuil. Pachydermique et réprobateur, il la regardait s'affairer pour accueillir un autre homme qu'Aurelio. Elle poussait de vieux illustrés sous le divan, empilait dans un coin des disques aux pochettes déchirées, retapait les coussins, arrachait les brassières qui séchaient sur un fil dans la cuisine, se précipitait pour descendre la poubelle pleine d'épluchures et de couches souillées (« Ce que t'es flemmard, tout de même! ») remontait, essoufflée, ouvrait la fenêtre toute grande afin de changer l'air.

— Le petit va prendre froid! cria André.

— Eh bien! couvre-le, au lieu de rester à ne rien faire!

Il s'exécuta de mauvaise grâce. Puis, réflexion faite, il décida de se raser. Non par hommage à l'invité, mais pour sa satisfaction personnelle.

Sabine, à côté de lui, se recoiffait. Ils se tenaient, épaule contre épaule, devant la glace, lui avec son rasoir, elle avec son peigne, chacun ne regardant que son propre reflet. La sonnette de la porte les secoua ensemble. La représentation commençait. Sabine s'échappa de la salle de douches, avec une légèreté d'oiseau. André la suivit et se heurta à un homme aux bras chargés de paquets. Il avait si peu prêté attention à William chez « Maxim's », qu'il ne le reconnut pas. Ce long corps maigre, ce front dégarni, ces yeux couleur d'huître sous des sourcils noirs fortement arqués, que lui trouvait-elle de séduisant? Il devait avoir trente-cinq ans, peut-être plus! Evidemment les mains étaient belles, le sourire doux et intelligent. Aussitôt, Sabine entraîna son invité dans la cuisine pour déballer les achats : tranches de saumon fumé, poulet en gelée, pommes chips, tartelettes aux fraises, bouteille de champagne... Elle s'exclama. Il souriait. Ce n'était pas, disait-il, un menu bien original. Quel plaisir de revoir André! Il n'espérait pas le trouver là.

— André a décommandé ses rendez-vous pour nous tenir compagnie, dit Sabine.

William avait apporté également un grand lapin en peluche pour Léon. Idée saugrenue, jugea André : on ne donne pas un lapin en peluche à un bébé de quatre mois! Mais Sabine fondait de reconnaissance. On eût dit qu'ils étaient un couple de déshérités recevant la visite du Père Noël. Un peu de dignité, que diable! Le voici maintenant qui se penchait sur le berceau.

— Il ressemble à son père, cet enfant! dit-il d'un air concentré.

— Tu trouves? susurra Sabine. Je ne me rends pas bien compte.

Elle déposa le lapin en peluche à côté du bébé qui attrapa une oreille de la bestiole et la mit en bouche. William s'extasia :

— Quelle vivacité!

Il parla de ses filles — cinq ans et sept ans — qu'il voyait rarement. Elles vivaient en Normandie auprès de leur mère, avec qui il était en instance de divorce. C'était, disait Sabine, le drame de William. Un martyr de la fibre paternelle. Etait-il possible que Sabine en fût émue? Non, elle s'en foutait. Cela se voyait à ses yeux brillants de malice, à son petit nez court qui flairait de loin le mensonge. Elle allait et venait de la cuisine à la table basse pour disposer le couvert. André fut tenté de l'aider, mais s'interdit de le faire, par majesté virile. Une fois assise sur un coussin, entre William et lui, elle parut éclairée de deux côtés à la fois. Elle se tournait tantôt vers l'un, tantôt vers l'autre, et jouait à se montrer heureuse. Le saumon, le poulet, le champagne, tout, pour elle, était « suprêmement bon »! André la scrutait à la dérobée et ne la reconnaissait pas. Changeait-elle d'âme selon l'homme qui occupait ses pensées? Avec Aurelio, elle était une bohémienne de dix-huit ans, avec William, une femme de vingt-huit ans, un peu snob, pétillante et douce. Celui-ci la traitait avec une extraordinaire déférence.

On parla peinture. William admirait beaucoup celle d'André. Du moins l'affirmait-il. Mais André n'en croyait pas un mot. Tout ce qui venait de cet intrus était suspect à ses yeux. Pourtant il devait convenir que l'homme n'était pas sot.

— Je n'ai vu que deux de vos lithos, dit William, et j'ai été frappé de la nostalgie qui s'en dégage. Vous ne peignez pas les objets, les visages, mais le regret qu'ils vous laissent. Votre art n'est pas un art de possession, mais de deuil. Ai-je tort?

— Non, dit André à contrecœur.

— Il paraît qu'aux Etats-Unis ils sont enchantés, dit Sabine.

— Cela ne m'étonne pas, dit William. Richter a un flair infaillible! S'il vous a choisi, c'est qu'il avait déjà mesuré l'ampleur de votre public. Pourquoi ne faites-vous pas de décors pour le théâtre?

— Parce qu'on ne me le demande pas!

— Je suis sûr qu'un jour ou l'autre...

La conversation trottait. André se détendait. Allait-il se laisser prendre, lui aussi? Il se reprocha sa faiblesse. De toute sa volonté cabrée, il refusait de trouver cet homme sympathique. Maintenant Sabine questionnait William sur ses affaires. Il régnait sur un laboratoire de produits pharmaceutiques. Pas très exaltant comme métier. Mais il en parlait avec simplicité et humour.

— Je refuse d'agrandir cette entreprise, dit-il. A quoi bon se créer un supplément de soucis?

— Tu n'as donc pas d'ambition? dit Sabine.

— Je la place ailleurs que dans les affaires.
— Où précisément?
William hésita, voulut dire, sans doute : « Dans l'amour », ou quelque chose d'approchant, mais se ravisa et murmura avec une sorte de pudeur :
— Dans la construction de ma vie personnelle.
Et il posa sur Sabine un regard lourd de sous-entendus. André serra les dents. Cette déclaration muette, sous son nez, lui était fort désagréable. Il pensait à Aurelio, il *était* Aurelio, on lui volait Sabine. Elle se leva et apporta les tartelettes aux fraises. Assise à croupetons, elle mordait dans la pâte, lèvre retroussée. Sa manière de manger faisait songer à l'amour. Et l'autre qui n'en perdait pas une miette. Ah! qu'Aurelio revienne vite! Maintenant Sabine et William parlaient d'un film américain qu'ils avaient vu la semaine précédente : *Jaune d'or et blanc de craie*, un chef-d'œuvre d'audace et de poésie. Il y avait longtemps qu'André n'était allé au cinéma avec Sabine. L'obligation de garder l'enfant les empêchait de sortir ensemble. Et aussi, peut-être, le peu de goût qu'elle avait pour sa compagnie depuis qu'elle avait découvert William. Oui, cet homme la détachait de lui en même temps que d'Aurelio. Il la détesta pour la grâce perverse de son sourire.
— Tu devrais absolument aller voir ça, André! Les images sont d'une beauté!...
Il acquiesça : il irait, un de ces jours, mais il ne savait pas avec qui.
— Peut-être avec Gérard, dit-il. A moins que je n'attende le retour d'Aurelio...

Il avait lancé la phrase avec perfidie. Un filet de vinaigre dans une tasse de thé sucré.

— Quand revient-il? demanda William.

— Je ne sais pas! dit Sabine avec gaieté. Il ne donne aucune nouvelle. Il doit se plaire, là-bas...

Etait-elle aussi désinvolte qu'elle voulait le paraître? Hier, André l'avait surprise, toute pensive, devant la photo d'Aurelio. Elle proposa à William une partie de « scrabble ». Ils s'installèrent tous trois sur le divan. La bataille fut animée. William riait des trouvailles de Sabine et de ses fautes d'orthographe. André qui, naguère, s'amusait de ces gamineries, en était exaspéré aujourd'hui. Il ne pouvait tolérer qu'elle resservît à un autre les sourires et les plaisanteries qui l'avaient lui-même enchanté.

A quatre heures, William regarda sa montre et dit :

— Il faut que je parte. J'ai une série de rendez-vous assommants au bureau. Es-tu libre ce soir, Sabine? Nous pourrions aller au théâtre...

Elle secoua le menton :

— Non, pas ce soir, William...

— Mais si, dit André avec une délectation masochiste, vas-y! Je garderai Léon.

— Tu es très gentil, mais je préfère rester à la maison. Je suis crevée.

Elle penchait la tête, comme alourdie de pollen. André comprit la manœuvre : Sabine voulait préserver son mystère par quelques refus judicieusement espacés. Et l'autre qui donnait dans le panneau! Subjugué par le romantique mirage des malaises féminins, il s'attendrissait, inclinait son front chauve, disait :

— Je n'insiste pas. Je t'appellerai demain...

Il lui baisa la main. Tout y était! Quand il fut parti, Sabine demanda :

— Comment le trouves-tu?

— Exactement comme je me le figurais, grommela André.

— C'est-à-dire?

— Conventionnel, bourgeois, incolore...

Il ne pouvait tout de même pas reconnaître devant elle qu'il avait, lui aussi, subi le charme discret de William. Elle l'interrompit :

— Je l'ai jugé comme toi, au début. Puis j'ai appris à le connaître. C'est un type... un type... formidable!

— Pourquoi as-tu refusé d'aller au théâtre avec lui, ce soir?

— Pour ne pas te laisser seul.

— Tu mens! La vérité, c'est que tu voulais te faire désirer! Tu es complètement ridicule avec lui! Tu te mets à son diapason! Tu prends de grands airs démodés! Tu te laisses faire la cour en dentelles!... Je t'observais, tout à l'heure...

— Moi aussi, je t'observais, André. Et tu n'étais pas beau! Pas beau du tout! Tu crevais de jalousie!

— T'es dingue?

— Pas plus que toi! Tu te prends pour Aurelio, ma parole! Ce n'est tout de même pas toi que je trompe, quand je fais l'amour avec William!

La violence de l'aveu le laissa pantois. Elle ne lui avait jamais parlé aussi franchement de sa liaison avec William. Oubliés le « scrabble », le lapin en peluche et le baisemain « Vieille France ». Il les vit nus, enlacés, gigotants. Comment pouvait-elle passer si aisément d'un homme à l'autre? Le souvenir d'Aurelio ne suffisait-il pas à la retenir d'ouvrir ses jambes quand l'envie la prenait d'être pénétrée? Une chienne. La frapper! Il se jugea stupide et dit :

— Ce que tu peux m'agacer!

— Et toi alors! J'en ai marre, tu sais! Marre, marre!...

Elle fit rouler le mot sur sa langue avec rage. Soudain des larmes jaillirent de ses paupières. Elle les essuya d'une main tremblante et disparut dans la cuisine. Il la suivit, tout penaud :

— Ecoute, Sabine, je n'ai pas voulu...

— Laisse-moi!

— On ne va pas se disputer, tout de même!

— Si. Tu es trop méchant!

— Viens faire un « scrabble »...

— Non!

Pour la décider, il rouvrit la boîte du jeu sur le divan. Il secouait les lettres dans le sac. Cela faisait un cliquetis engageant. Au bout d'un moment, Sabine le rejoignit, encore toute gonflée de tempête. Ils s'assirent, face à face, en tailleur. La partie commença silencieusement. André réfléchissait, disposait des lettres et subissait avec gratitude l'envoûtement de ce tête-à-tête dans la pièce close. Décidément, quoi qu'elle fît, cette sacrée Sabine, il ne pouvait lui en vouloir longtemps! Déjà il la regardait avec une tendresse retrouvée. Elle avait séché ses larmes. Il alluma une cigarette. La chaleur du terrier agissait sur ses nerfs. Il était à l'abri. Coupé du reste du monde. Seul avec elle. Pour quelques heures, pour la nuit, pour l'éternité. Aucun garçon, pensait-il, n'avait une peau aussi douce que Sabine à la saignée du bras. Et pourtant il n'avait rien à craindre d'elle. Il n'attendait d'elle ni caresses ni consolation. Elle lui donnait, par sa présence, toute la part de féminité qu'il était capable d'absorber. Une dose plus forte lui eût soulevé le cœur. Par exemple, il lui savait gré d'avoir des hanches étroites. Elle interrompit la partie pour préparer le biberon de Léon. André l'aida à changer le bébé. Il y avait entre eux cette silencieuse coordination de mouvements qui n'appartient qu'aux couples unis. Chacun savait ce qu'il avait à faire et comment le faire. Le bébé recouché, ils reprirent le jeu.

7

Appartement 227. André s'arrêta, le cœur pincé, et frappa à la porte. Richter l'accueillit à bras ouverts. Derrière lui, un salon Louis XVI tout neuf. Roses impersonnelles plantées dans un vase et bouteille de whisky sur un guéridon. Arrivé de New York l'avant-veille, il n'avait pas voulu attendre plus longtemps pour téléphoner à André. Son rude visage au nez d'aigle et aux cheveux gris coupés court exprimait un contentement jovial :

— Asseyez-vous. Je vous sers?

André se laissa descendre dans un fauteuil et accepta un verre de whisky. Immédiatement Richter lui parla du succès de ses lithographies et du merveilleux travail qu'Aurelio accomplissait aux Etats-Unis. Dès qu'il put placer un mot, André demanda :

— Quand pense-t-il revenir?

Richter écarta les bras comme pour se laisser fouiller par des mains invisibles :

— Ni lui ni moi ne pourrions vous le dire.

Il voyage beaucoup. Il supervise toutes les expositions de peinture et de lithos dans les grands hôtels. Alors vous comprenez, tantôt Chicago, tantôt Washington, tantôt Detroit...

— Il était question de quinze jours, au début, balbutia André.

— Eh! oui, parce que je pensais le mettre au courant de la vente et le renvoyer à Paris pour s'occuper des commandes aux artistes. Mais il s'est révélé si efficace comme organisateur, que je le crois beaucoup plus utile làbas qu'ici... D'ailleurs il se plaît énormément aux U.S.A...

— Il ne va tout de même pas y rester?...

— Non... Enfin pas tout le temps... Il fera la navette, comme vous dites... Selon les nécessités de son *job*...

André entrevit la vérité derrière ces paroles lénifiantes : Aurelio ne reviendrait jamais; Aurelio était perdu pour lui, perdu pour Sabine. Cette pensée créa le vide dans son cerveau. Un instant étourdi par le choc, il dit machinalement :

— Oui, oui, je comprends...

Quels étaient les rapports de cet homme avec Aurelio? Etait-ce l'intérêt commercial qui le guidait ou un sentiment trouble dont André connaissait bien les ravages? Les deux sans doute, en dépit de ce que disait Aurelio. André était assis devant son rival heureux. Ils buvaient du whisky ensemble. Les yeux bleus de Richter examinaient son interlocuteur avec une commisération insupportable.

— D'ailleurs il faudra que vous alliez vous-même au U.S.A., un de ces prochains jours, dit-il. Nous organiserons ce voyage. Vos lithographies ont si bien marché, que je voudrais vous en commander six autres.

André tressaillit et s'entendit marmonner :

— Je ne veux plus faire de lithographies.

Les yeux de Richter s'arrondirent :

— Pourquoi?

André ne savait que répondre. C'était à cause de ces maudites lithos que tout était bouleversé et gâché dans sa vie. Il refusait de travailler encore pour cet homme qui lui avait enlevé Aurelio. Avec effort, il dit :

— Ça ne m'intéresse plus... Excusez-moi...

— On pourrait revoir les conditions, dit Richter, augmenter un peu vos droits...

— Ce n'est pas une question d'argent.

— Alors qu'est-ce que c'est? Vous n'allez pas renoncer au moment où vous voilà si bien parti! Réfléchissez!

— C'est ça! Je réfléchirai, dit André pour couper court.

Et il se leva. Ses jambes étaient faibles. Une main chaude et forte enserra sa main. Un regard pâle plongea dans ses yeux.

— Vous ne vous sentez pas bien? demanda Richter.

— Mais si, dit André.

Et il s'éloigna vers la porte. Le couloir de l'hôtel Meurice déroula sous ses pieds son tapis interminable. Rien de ce qui pouvait lui arriver n'avait plus d'importance. Vite, retourner à la maison, s'enfoncer dans un trou, tirer une couverture sur sa tête.

Il pensait trouver Sabine attendant son retour. Mais Léon était seul. Elle savait pourtant qu'André avait rendez-vous avec Richter. Pourquoi était-elle sortie? Un billet épinglé sur un coussin du divan : « Je suis allée chez le teinturier; je reviens tout de suite. » Il roula le papier en boule et le jeta par terre. Léon gazouillait en mordillant l'anneau de son hochet. Dès qu'il vit André penché sur le berceau, il lui sourit de sa petite bouche baveuse et agita les pieds par saccades. Ces yeux d'enfant fixés sur lui avec candeur, avec confiance. Il s'y enfonçait, il s'y rafraîchissait, il y retrouvait mystérieusement Aurelio. Emu aux larmes, il prit le bébé contre sa poitrine. La porte s'ouvrit à la volée. Sabine parut, un paquet plat sur le bras.

— Tu es déjà là! dit-elle. Comment ça s'est passé?

— Aurelio ne reviendra jamais, dit-il en reposant Léon.

— Ah! bon. Explique-toi.

Il s'assit au bord du divan, alluma une cigarette et raconta en quelques mots son entrevue avec Richter. Sabine l'écoutait attentivement, tout en dépliant son paquet. Son visage n'exprimait ni tristesse ni angoisse. Elle finit par dire :

— Eh bien! mais ce sont des nouvelles plutôt sympa. Aurelio a trouvé là-bas un boulot qui colle à son caractère. Il réussit. Il gagne de l'argent. Il est heureux. Pourquoi reviendrait-il?

— Pour toi, pour nous..., dit-il avec un mouvement de tête vers le berceau.

— Je n'y tiens pas tellement!

— Quoi?

— Enfin André, mets-toi devant l'évidence : Aurelio et moi, c'est du passé.

— Tu dis ça à cause de William?

— Oui.

— Tu ne vas pas prétendre que tu l'aimes?

— Si.

— Comme tu as aimé Aurelio?

— William c'est quelque chose de plus grave qu'Aurelio, de plus sûr, de plus durable...

— Tu me fais marrer! Aurelio, tu l'as dans la peau! Tu ne pourras jamais te passer de lui!

— La preuve que si!...

— Allons donc! Parce que tu sors avec ce vieux type, un soir sur deux..., parce qu'il fait des ronds de jambes devant toi..., parce que...

— Nous allons nous marier, dit-elle calmement.

Il écrasa son mégot dans un cendrier, d'une main tremblante. Sa tête éclatait. La hargne à la bouche, il bredouilla :

— Et tu le crois? Il t'emmène en bateau, ma pauvre fille! Pour se marier avec toi, il faudrait d'abord qu'il soit divorcé!

— Mais il l'est.

— Ha! Ha! Laisse-moi rigoler! Et depuis quand est-il divorcé?

— Le jugement a été prononcé la semaine dernière.

Une idée frappa André, si violemment qu'il en fut ébranlé :

— Et Léon, que vas-tu en faire?

— Quelle question! Je le prendrai avec moi.

— Tu vas me l'enlever... à cause... à cause de ce mec?

Elle se pencha sur André, le saisit à deux mains par les épaules et lui planta un baiser sur le bout du nez.

— Tu es trop mignon! dit-elle. Tu dramatises tout. Mais tu sais bien qu'entre nous rien ne sera changé. William t'adore!

Il haussa les épaules.

— Je voudrais qu'il devienne pour toi un ami, comme Aurelio, reprit-elle.

— Personne, pour moi, ne remplacera Aurelio, dit-il avec une fermeté lugubre.

En prononçant ces mots, il avait conscience de donner une leçon à Sabine.

— Puisqu'il te manque tant que ça tu devrais te débrouiller pour aller le retrouver à New York, dit-elle. Parles-en à Richter.

— Il me l'a proposé. Il m'a même demandé de faire de nouvelles lithos.

— C'est merveilleux!

— C'est dégueulasse! J'ai refusé.

— Pourquoi?

— J'ai mes raisons.

Il y eut un long silence. André écrasait ses mains l'une contre l'autre. Léon poussa un cri aigu en cambrant la taille et en se redressant sur ses petits bras. Soudain Sabine dit avec une grande tendresse dans la voix :

— Tu es amoureux d'Aurelio à ce point?

Le souffle coupé, André sentit comme une paralysie qui gagnait son visage. Ses joues étaient de bois. Sa langue ne remuait plus. Tout se figeait dans son cerveau. Cependant il fallait répondre. Démasqué, annihilé, il bafouilla :

— Qu'est-ce que tu racontes?
— Je le sais depuis toujours, soupira-t-elle. Nous en avons souvent parlé avec Aurelio.
— Quel salaud! s'écria-t-il. Il n'y a jamais rien eu entre lui et moi!
— Pourquoi te fâches-tu? Aurelio ne m'a pas dit le contraire.
— Que t'a-t-il dit, alors?
— La vérité : ton amour pour lui l'a amusé. Un point c'est tout. Comme tu dois souffrir, mon pauvre André!
Il émergea d'une eau bourbeuse. De nouveau il respirait librement. Pourtant il ne pouvait supporter qu'elle le plaignît. Pas elle. Plus maintenant. En se détachant d'Aurelio, elle avait perdu le droit de comprendre ceux qui étaient restés fidèles à son souvenir. Tombée au pouvoir de William, elle n'était plus qu'une étrangère. Mais elle lui posa la main sur l'épaule et il faiblit.
— Laisse-moi, dit-il.
— Non, je veux que tu sois heureux. Comme moi.
— C'est impossible, Sabine.
Il lui prit la main, la porta à ses lèvres et ajouta :
— N'en parlons plus.
Elle saisit la robe qu'elle avait rapportée du teinturier, la tint une seconde à bout de bras pour l'examiner, et la pendit sur un cintre, dans le placard. Il la regardait vaquer à ses occupations, criminellement insouciante. Encore une cigarette. Il l'alluma fébrilement. La fumée n'avait plus de goût. Dans un brouillard, il voyait son avenir. Aurelio fixé aux

Etats-Unis. Sabine mariée. Un double arrachement.

— Quand comptes-tu l'épouser? demanda-t-il.

— Il y a encore quelques formalités à remplir, dit-elle. Au début juin, je pense.

8

Il peignait mollement : une tête de berger, aux boucles emmêlées, sur un fond de ciel bleu. Charlotte lui avait promis d'essayer de placer quelques aquarelles auprès de ses clients. Elle était sans rancune, Charlotte. D'ailleurs personne ne pouvait en vouloir à Aurelio. Et si les aquarelles ne se vendaient pas? Eh bien! André taperait Coriandre ou Gérard. Autre chose l'inquiétait : Léon n'avait guère pris de poids depuis ce fichu vaccin. Ne fallait-il pas rappeler le docteur? Pourtant le bébé mangeait ses bouillies avec avidité. Les joues roses, l'œil brillant, il agitait ses pieds nus. André lui remit ses chaussons et revint à son aquarelle. Le visage du berger avait une noblesse paisible. On pourrait reprendre ce thème dans un tableau à l'huile, plus travaillé. Excellente idée. Mais d'abord, finir l'aquarelle. Le pinceau d'André effleura le papier avec élégance. Une arabesque — trop jolie — dans les cheveux du pâtre grec. Corriger ça. Comment? La sonnerie du téléphone le délivra de sa perplexité. C'était Sabine. Depuis le matin, elle visitait des appartements avec William. Ils en avaient trouvé un qui était « sensationnel ». Mais elle ne voulait rien décider sans avoir pris l'avis d'André.

— Que fait Léon? dit-elle.

— Je l'ai mis sur le ventre : il s'est rendormi à l'instant.

— Alors viens vite.

Elle lui donna l'adresse : c'était rue de Verneuil. La Seine à traverser.

— Prends un taxi, dit-elle.

— Oui, oui...

Un taxi? Trop cher pour lui. Il partit à pied. Pour arriver plus vite, il allongeait le pas et doublait des passants en descendant du trottoir. La respiration entrecoupée, les mollets faibles, le dos mouillé de sueur, il parvint devant un vieil immeuble à l'aspect somnolent. Troisième étage. Un appartement de taille moyenne, vide, sonore, aux plafonds hauts et aux fenêtres poussiéreuses. Dans ce désert, une Sabine au regard brillant de résolution féminine. William la considérait avec attendrissement. L'agent immobilier vantait le cachet ancien, l'ensoleillement et le silence de la maison, dont les pièces principales donnaient sur un jardin. C'était une affaire à enlever tout de suite. Le vendeur accepterait de réduire son prix s'il était payé comptant.

— Qu'est-ce que tu en penses? demanda Sabine à André.

Il parcourut les pièces avec elle.

— Ici, ce sera la chambre de Léon, disait-elle. Ici, notre chambre à nous. Ici, le bureau de William avec une porte sur le salon.

Elle prenait déjà possession des lieux, le geste large, le regard inventif.

— Très bien, dit André.

— Tu ne crois pas que dans le bureau et dans la chambre de Léon on devrait abaisser le plafond?

— Si, peut-être.

— Evidemment la cuisine est un peu petite.

— Oui... évidemment...

Au milieu de ce tourbillon de joie, il se sentait comme vêtu de noir, de la tête aux pieds.

— Alors tu es d'accord? dit-elle.

Il acquiesça silencieusement, une boule dans la gorge. Elle courut à William. Il discuta du prix avec l'agent immobilier, jeta des notes sur un calepin, donna sa carte, avec quelques mots griffonnés dessus.

— Ça y est! chuchota Sabine en revenant à André. William a pris une option jusqu'à lundi.

Elle rayonnait. André lui sourit avec effort. Engourdi, alourdi, il se refusait à imaginer ce décor où elle se voyait déjà installée. On sortit en groupe. Dans l'escalier, Sabine embrassa William avec une légèreté de danseuse portée par la musique. Elle le remerciait. Il murmura : « Chérie ». André détourna la tête.

— Je vous dépose? demanda William.

Il était venu en voiture et devait retourner tout de suite à son bureau. Sabine décréta qu'il faisait trop beau et qu'elle voulait rentrer à pied à la maison avec André. William prit rendez-vous avec elle pour le soir même.

Sabine saisit le bras d'André et l'entraîna dans les rues. Chemin faisant, elle parla encore de l'appartement. Elle voulait un intérieur « très dépouillé ». Un minimum de meubles. Des coussins par terre. Qu'en pensait-il? Collée à lui, elle l'interrogeait de la voix, du regard. Il la sentait agile et chaude contre son flanc, avec son poids et son mouvement de jeune femme. Sans doute était-ce une façon qu'elle avait de se faire pardonner son bonheur. Des passants les regardaient, les prenaient peut-être pour un couple d'amoureux.

— Et puis, ce qui est bien, dit-elle, c'est que, rue de Verneuil, je ne serai pas loin de chez toi. Nous continuerons à nous voir très souvent. Nous ne nous quitterons pas tout à fait. Oh! regarde!...

Elle s'arrêta devant la vitrine d'un antiquaire et désigna deux fauteuils verts capitonnés et garnis de franges.

— Pour ma chambre, dit-elle.

— Je croyais que tu voulais un intérieur « très dépouillé ».

— Très dépouillé, mais en même temps très douillet. Tu ne comprends rien. Comment les trouves-tu, ces fauteuils?

— Charmants.

— Viens! On va demander le prix.

Elle voulut entrer dans le magasin. La porte était fermée au loquet.

— Oh! merde! s'écria-t-elle. Quelle heure est-il?

— Je ne sais pas, dit André. Plus de midi, sans doute...

— Bon! On reviendra. Au fond, nous n'aurons pas besoin de beaucoup de meubles, rue de Verneuil. Tout ce qui se trouve dans le studio de William ira très bien.

— Et toi, tu as bien quelques petites choses à Feucherolles!

— Je ne veux rien de là-bas, dit-elle durement.

— As-tu prévenu ton beau-père de ton prochain mariage?

— Je n'en vois pas la nécessité. Depuis la naissance de Léon il n'a pas trouvé le moyen de venir le voir. Non, la famille, mon petit André, je m'en passe! Ou plutôt, je n'ai qu'une famille, c'est toi!

De nouveau elle se pendit à son bras, avec un abandon de grappe mûre. L'étroitesse du trottoir les amenait parfois à se serrer l'un contre l'autre, pour laisser la voie à un passant qui marchait en sens inverse. Il émanait d'elle une douce radiation qui le bouleversait. L'instant d'après, elle s'écartait un peu, sans lâcher prise. C'était une danse légère, aux pas compliqués. André eût souhaité que cette promenade, côte à côte, n'eût pas de fin. Il proposa à Sabine de s'asseoir dans le jardin des Tuileries, parmi les arbres déjà en feuilles et les statues blanches. Mais elle ne voulait pas laisser Léon seul plus longtemps. Ils continuèrent leur marche, bras dessus bras dessous. Des enfants joueurs les entouraient de leurs cris d'hirondelles.

— Tu te rends compte, quand Léon aura cet âge-là, ce que nous serons vieux! dit Sabine.

9

André pénétra en ouragan dans le premier bureau de tabac venu, acheta six paquets de Gitanes, alluma une cigarette et ressortit, soulagé. Depuis ce matin, il se retenait de fumer par manque d'argent. Les deux cents francs de Charlotte étaient tombés à pic. C'était le barman qui lui avait vendu sa première aquarelle. Averti par téléphone, il avait aussitôt couru à « la Mazurka » pour toucher la somme, déduction faite de la commission. Charlotte lui avait offert un verre. Mais, comme Sabine était sortie avec William et que Léon se trouvait seul à la maison, il n'avait pas voulu rester pour le spectacle. Il le regrettait un peu maintenant. Les lumières de « la Mazurka » et son décor faussement tropical l'attiraient encore. Peut-être parce qu'ils lui rappelaient un temps heureux. Il fumait avec délices en marchant dans la nuit. Le mouvement de la rue le berçait. Ce fut presque à regret qu'il vit venir à lui le porche de sa maison.

Il appuya sur le bouton de la minuterie et s'engouffra dans l'escalier. Comme il arrivait au deuxième étage, un pas vif dévala les marches à sa rencontre. Il effaçait déjà une épaule pour laisser passer l'homme qui descendait, lorsqu'une joie fulgurante le frappa. Stupéfait, la bouche sèche, les poumons vidés, il regardait, droit devant lui, Aurelio.

— Toi? balbutia-t-il. Tu es là?

— Eh bien! oui, tu vois, dit Aurelio. J'ai téléphoné trois fois sans trouver personne. Alors je suis venu. Et je me suis cassé le nez sur une porte close. Comme un con, je n'avais pas emporté la clef. J'allais repartir.

— Tu... tu viens de New York?

— Oui.

— Quand es-tu arrivé?

— Ce soir. Comment va Sabine?

— Très bien.

— Et mon fils?

— Très bien aussi.

Aurelio marqua un temps, puis demanda :

— Où est Sabine?

— Je n'en sais rien.

L'électricité s'éteignit. Plongé dans le noir, André chercha à tâtons le bouton de la minuterie. Une peur panique le traversa : la lampe se rallumera et, en face de moi, il n'y aura plus personne. Une clarté jaune tomba du plafond. Aurelio était toujours là, avec son sourire sarcastique.

— On monte? dit-il en passant devant André.

André posa la main sur la rampe. Il avait des ailes aux talons. L'allégresse l'empêchait de réfléchir. Aurelio entra dans l'appartement avec décision, comme s'il l'avait quitté la veille, contourna le paravent qui masquait en partie le berceau et se pencha sur Léon endormi.

— Ce qu'il a changé! dit-il avec un tendre étonnement. Est-ce qu'il commence à marcher?

— Ah! toi, alors! dit André en riant. Un bébé n'a jamais marché à cinq mois!

— Ça marche à quel âge?

— Vers un an, deux ans..., je crois...

— Je voudrais le prendre.

— T'es pas fou? Il dort!

— Juste cinq minutes.

Aurelio tira le bébé hors de ses couvertures et s'assit avec lui sur le divan. Enfermé dans son vêtement de nuit, le derrière matelassé de couches, Léon laissait pendre la tête et respirait paisiblement.

— Pauvre chou! Il ne se réveille même pas! dit André à voix basse. Repose-le dans son lit.

— Attends! dit Aurelio. Ça fait trop longtemps que je ne l'ai pas vu! *How are you, mister Leo?* Que fait votre mère? Elle vadrouille, comme d'habitude! Et vous vous en foutez! Vous avez bien raison, *mister Leo!*

Le bébé ouvrit les paupières, dressa la tête et regarda Aurelio avec une ronde candeur. Des yeux noirs comme ceux de son père. Quel mystère dans ce face à face de l'homme et de l'enfant! Un sourire effleura les lèvres de Léon et s'acheva en bâillement.

— Il a une dent! Deux dents! dit Aurelio. C'est marrant!

Il faisait sauter Léon doucement sur son genou.

— Je t'assure qu'il faut le recoucher! dit André.

— Non! Il m'amuse! C'est vrai qu'il me ressemble! Bonjour, *mister Leo! Say something!...* Léon, Léon!...

Maintenant Aurelio agitait les mains devant le visage de l'enfant. Ses boutons de manchette brillaient.

— Où sont tes valises? dit André.

— A l'hôtel.

— Tu es descendu à l'hôtel? Pourquoi?

Aurelio ne répondit pas et continua de tourner ses mains en l'air. Une crainte s'infiltra dans l'esprit d'André et s'étala avec lenteur.

— A quel hôtel es-tu descendu? demanda-t-il.

— A l'hôtel Meurice.

André eut l'impression qu'une corde trop tendue cassait dans sa poitrine.

— Aurelio, pourquoi es-tu revenu? dit-il.

— Quelle question! dit Aurelio. Je ne suis jamais parti. J'ai fait un petit saut aux U.S.A. C'est tout!

— Un petit saut de trois mois!

— Oh! tu sais, moi, la notion du temps... Tiens! sers-moi un whisky! Ça me fait plaisir de te voir!

André alla chercher la bouteille, les verres et tira quelques glaçons du réfrigérateur.

— Pas d'eau, dit Aurelio. *On the rocks.*

Il but une gorgée de whisky, reposa son verre, et les traits de son visage se tendirent.

— Qu'est-ce que c'est que cette histoire? dit-il soudain. Il paraît que tu refuses de faire de nouvelles lithos!

— Oui, dit André.

— Pourquoi?

— Ça ne me plaît plus.

— Tu n'as donc pas besoin d'argent?

— Non.

— De quoi vis-tu?

— Je me débrouille.

— Mon pauvre André, ricana Aurelio, tu ne changeras jamais!...

Il ne s'occupait plus de son fils et le tenait comme un ballot de linge dans le creux de son bras. Sa main restée libre fouilla dans la poche intérieure de son veston. Il en tira un papier rectangulaire, plié en deux, et le jeta sur la table basse.

— Qu'est-ce que c'est? demanda André.

— Un chèque. Pour les six lithos que tu vas nous faire en vitesse. Richter a drôlement arrondi le chiffre. Regarde!

André considérait cette petite feuille blanche sur la laque noire de la table — un cygne au milieu des eaux nocturnes — et son désarroi augmentait.

— C'est pour me forcer à faire ces lithos que tu es revenu? demanda-t-il.

— Il me semble que c'est important, non?

Il y eut une longue pause. André comprenait tout : Richter avait téléphoné à Aurelio de regagner Paris pour arranger l'affaire. Ils habitaient le même hôtel. Des chambres communicantes, peut-être. Leur connivence était évidente. « C'est monstrueux! Avec ce vieux type! Comment peut-il? » Subitement le bébé éclata en larmes. André l'enleva des mains d'Aurelio et le recoucha sur le ventre, dans son berceau. Il borda les couvertures. Mais Léon pleurait toujours.

— Il nous casse les oreilles! dit Aurelio. Tu ne vas pas le laisser chialer comme ça! Reprends-le!

— Non, dit André. Un enfant, ça s'élève, figure-toi! Et ça se supporte!

Il fut lui-même surpris de son ton agressif. Les hurlements du bébé s'apaisèrent. Aurelio buvait son whisky à petites lampées gourmandes. Il portait un costume en alpaga couleur bronze, une chemise tilleul pâle et une cravate noire. Elégant, insolent et calme. André, qui l'observait à la dérobée, eut la certitude soudain d'être dupé. Ce n'était pas le véritable Aurelio qu'il avait sous les yeux, mais une doublure, une contrefaçon, une caricature maléfique. Il eut envie de lui arracher son verre de la main et de lui en lancer le contenu au visage. Brusquement sa colère immobile se mua en angoisse. Le bruit de la porte ouverte : Sabine! Il l'avait complètement oubliée. Elle arrivait d'un autre monde. Porteuse d'une bombe. Elle parut, belle, lointaine, dégagée, les cheveux lustrés de lumière, un sourire mondain aux lèvres. Pas la moindre surprise dans le regard.

— Tiens! Aurelio! dit-elle.

Elle l'embrassa sur les deux joues, comme un frère, et ajouta :

— Tu t'es laissé pousser les favoris. Ça te va très bien!

Aurelio la dévisageait avec une sorte de férocité ironique, d'admiration rancunière.

— Toi aussi, dit-il, tu as changé de coiffure.

— Ah! Tu as remarqué. Tu aimes ça?

— Beaucoup.

— Tu as vu Léon? N'est-ce pas qu'il a grandi? Et encore, quand il est couché dans son berceau, on ne s'en rend pas compte.

— Je l'ai pris sur mes genoux, tout à l'heure.

— Tu l'as réveillé! André a dû en faire une tête!

— J'ai cru qu'il allait me sauter à la gorge!

— Et les Etats-Unis? Ça t'a plu? Raconte...

— Formidable!

Tandis qu'ils parlaient, André, abasourdi, les regardait alternativement comme il eût suivi un échange de balles. Deux camarades au bavardage inoffensif. Rien d'important ne les avait unis jadis ni ne les séparait aujourd'hui. Sabine éclata de rire en renversant la tête, s'assit dans un fauteuil, prit le verre d'André, le porta à ses lèvres :

— J'ai une de ces soifs!

— Je vais chercher de l'eau Perrier, dit André.

— Non, laisse.

Et, tournée vers Aurelio, elle demanda d'un ton négligent :

— Tu as quitté les Etats-Unis définitivement ou tu reviens juste pour tes affaires?

— Je reviens pour *nos* affaires, Sabine, dit Aurelio. A ce propos, je voudrais te signaler qu'André est une vraie tête de mule : il refuse de faire de nouvelles lithos. Qu'en penses-tu, toi?

— J'en pense, dit-elle, que tu n'as jamais su te mettre à la place des autres. Les êtres que tu aimes ne sont pas des pantins dont tu peux indéfiniment tirer les ficelles.

— Ça veut dire quoi, ça?

— Ça veut dire que tu es parti trop longtemps, Aurelio. André et moi nous avons vécu en ton absence.

Elle parlait avec lenteur, en détachant chaque mot et sans quitter Aurelio du regard. Tendu vers elle, André l'encourageait, en pensée, à porter des coups de plus en plus durs. Maintenu dans la foule par une haie de hallebardiers, il assistait à un supplice. Le coupable allait payer sur sa peau.

— Bon, dit Aurelio, il était temps que j'arrive pour vous réveiller tous les deux!

— C'est surtout toi qui vas te réveiller, dit Sabine. J'ai une grande nouvelle à t'annoncer, Aurelio : je me marie.

Elle lança cette phrase avec défi, la tête dressée.

— Excellente idée! dit Aurelio. Et avec qui?

— Avec William.

— William? Connais pas!

— Si, tu le connais. Tu l'as rencontré chez « Maxim's ».

— Ce type à moitié chauve! Ça alors!

Il riait avec un accent de hargne sèche.

— J'espère qu'il a du fric! reprit-il. Sabine faisant un mariage de raison. On aura tout vu! Et tu approuves ça, André?

Toutes ses forces bandées pour résister au vertige, André dit :

— Oui.

Aurelio fit quelques pas dans la pièce en se dandinant un peu, passa derrière le paravent et reparut, tenant le bébé dans ses bras.

— Eh bien! mon petit Léon, dit-il, je vais faire de toi un citoyen américain!

Sabine bondit sur ses pieds. Une fureur animale dilatait ses yeux.

— Donne-moi Léon, dit-elle d'une voix mate.

Aurelio pirouettait, sautillait, élevait l'enfant au-dessus de sa tête pour le soustraire aux mains de Sabine.

Il jouait au ballon dans une cour de récréation. Léon se remit à pleurer. Sabine s'agrippa d'une main à la manche d'Aurelio. De l'autre, elle le frappait à la poitrine, au visage. Il gloussait de joie et dressait les bras pour maintenir l'enfant hors de portée. Enfin André lui arracha le bébé de haute lutte. Aurelio éclata de rire.

— Salaud! dit André. Va-t'en! Tu n'as aucun droit sur Léon!

Il fallut bercer l'enfant avant de le remettre au lit.

— Tu as entendu ce que t'a dit André? siffla Sabine.

Elle haletait, face à Aurelio qui arrangeait sa cravate. Elle lui soufflait sa haine à la figure. Au lieu de reculer, il paraissait subjugué par cet orage féminin. Soudain il saisit les poignets de Sabine, lui ramena les mains derrière le dos, la souleva de terre et se laissa tomber avec elle sur le divan. Elle se débattit sous les baisers qui lui fouillaient le visage. Ses jambes luttaient contre les jambes d'Aurelio, elle roulait la tête, secouait les épaules. Leurs bouches se rencontrèrent. Sabine gémit, se détourna. Frappé d'impuissance, André regardait ce combat comme il eût assisté à l'accouplement de deux animaux. Sans se relever, Aurelio lança d'une voix rauque :

— Fous le camp, André! Tu ne vois pas que tu es de trop?

Et de nouveau ses lèvres happèrent la bouche de Sabine. Ecrasée sous son poids, elle le repoussa d'une main tremblante et hurla :

— Non, André! Je t'en supplie, ne me laisse pas!

Ce cri de Sabine arracha André à son indifférence. Un flux électrique descendit dans ses mains. Il saisit Aurelio par les épaules et le tira en arrière. Sabine s'échappa de l'étreinte qui l'emprisonnait. Décoiffée, la blouse ouverte sur la poitrine, une égratignure au menton, elle se réfugia dans un coin de la pièce. Victime d'un tremblement de terre, elle regardait les ruines devant elle, d'un œil hébété.

— Dehors! dit André en poussant Aurelio vers la porte. C'est toi qui es de trop ici! Va retrouver ton Richter!

D'une bourrade, Aurelio se libéra. Son visage exprimait une misérable victoire. Il se rajusta, tira ses manchettes. Il prenait son temps. Son regard fixe ne lâchait pas Sabine. Il la fascinait à distance.

— C'est bon, je m'en vais, dit-il enfin. Décidément t'es trop con, André! Sabine, je suis à l'hôtel Meurice, chambre 259. Je t'y attendrai. Je t'aime. J'ai besoin de toi.

Il sortit. Quand la porte se fut refermée, Sabine s'assit au bord du divan, jeta sa figure dans ses mains et éclata en sanglots. Des convulsions la secouaient. André lui caressait les cheveux en marmonnant :

— C'est fini, maintenant. Calme-toi. Il ne reviendra plus!

Il lui écarta les mains du visage. Elle leva vers lui des yeux noyés de larmes. Sa bouche faible hoquetait :

— C'est affreux!

— Tu sais ce que je te conseille? dit-il. Tu devrais vite aller retrouver William.

Elle balança la tête de gauche à droite :

— Non, non, je ne peux pas...

— Pourquoi?

Elle ne répondit pas et continua à pleurer. Affolé, André insista pour qu'elle se mît au lit. Elle accepta, frissonnante. Il la regarda se déshabiller. Quand elle fut sous les couvertures, il s'assit à son chevet. Il lui effleurait la joue du revers de la main. Il eût voulu se coucher à côté d'elle. La prendre dans ses bras. Sans désir. La bercer comme une enfant.

— Il faut que tu dormes, dit-il.

Elle roula la tête sur l'oreiller. Il alla chercher un verre d'eau et un cachet.

— Qu'est ce que c'est? dit-elle.

— Un calmant.

— Je ne veux pas!

— Fais-moi plaisir!

Elle lui sourit, prit le cachet, avala une gorgée d'eau.

Il resta auprès d'elle jusqu'à ce qu'elle se fût assoupie.

★

A l'heure du premier biberon, Sabine ouvrit les yeux, poussa un soupir et remua les jambes sous les couvertures. André, déjà levé, se pencha sur elle et lui toucha le front d'un baiser.

— Ne te dérange pas, dit-il. Je m'occupe de Léon!

— Comme tu es gentil! dit-elle d'une bouche molle.

Et elle retomba dans le sommeil. Il allait et venait, sur la pointe des pieds, dans la pénombre. Chauffer le lait, laver et changer le bébé, le nourrir, le bercer pour calmer ses pleurnicheries. Quand Léon fut recouché, André regagna son atelier, s'étendit sur son lit et prit un roman policier. La scène de la veille laissait dans son esprit un désordre de cauchemar. A tout moment il y retournait, oubliant la page qu'il venait de lire. Il n'avait pas dormi de la nuit. Une épaisse fumée flottait dans la petite pièce au plafond bas. Trois soucoupes, posées par terre, débordaient de mégots. La bouche amère, les yeux brûlés, André alluma encore une cigarette. Entre deux bouffées, il prenait parti, il s'indignait, il répliquait, il se battait, il souffrait... « Aurelio... Je ne lui en ai pas dit assez... Et si j'allais le retrouver à l'hôtel?... Si je lui déballais tout ce que j'ai sur le cœur?... Il me rirait au nez... Il me dirait : « Ça ne va pas, non? »... André entendait cette voix, ce rire dans ses oreilles et son courage tombait. Il n'y aurait plus rien, jamais, entre Aurelio et lui... « Ah! je suis content que Sabine l'ait plaqué pour William! »... Comme chaque fois qu'il pensait à elle, une vague douce le soulevait. Il la revit sur le divan, sous Aurelio. Ce cri : « André! ne me laisse pas! » Il était son défenseur. Elle ne pouvait se passer de lui. Quelle force soudain dans sa poitrine! Et le visage d'Aurelio à cette minute, rayonnant de désir, de méchanceté et de gouaille! C'était vrai que les favoris lui allaient bien. Il avait un peu maigri aux Etats-Unis, ses traits s'étaient accusés, son regard avait acquis une netteté métallique. Tout en lui avait dû se préciser et se durcir pendant ce voyage. Il n'y avait plus de place pour une faiblesse dans cette structure d'acier. Le revoir nu. Une seule fois. Et mourir après. « Qu'est-ce qui me prend? Je deviens fou! Pourquoi est-il revenu? J'avais appris à me passer de lui! Ah! qu'il s'en aille! Qu'il disparaisse pour toujours! » On manquait d'air dans cette turne. Bouche ouverte, André respirait par saccades. Ses bras étaient impatients de se refermer sur un corps musclé et chaud. Il se leva et alla boire un verre d'eau, dans la cuisine. La tuyauterie gronda. L'eau était tiède, avec un goût de fer. Cette scène-là, il l'avait déjà vécue, combien de fois! Sabine dormait encore, assommée. André revint dans l'atelier et se jeta sur le lit, le nez dans le traversin. Il écrasait un souvenir sous le poids de son ventre. De toutes ses forces, il résolut de ne plus penser à Aurelio. Des larmes gonflaient ses yeux.

Un marteau piqueur troua la terre noire au-dessus de lui : la sonnerie du téléphone. Il devait être tard, déjà! Mais oui : dix heures dix. Vite! D'une main gourde, il rattacha le pantalon de son pyjama qui glissait. Comme il passait devant le divan où reposait Sabine, elle murmura d'une voix atone :

— C'est certainement William! Dis-lui que je ne suis pas là.

— Pourquoi?

— J'ai trop mal à la tête pour lui parler maintenant.

Interloqué, il décrocha l'appareil et, en effet, tomba sur William.

— Elle vient de sortir, annonça-t-il. Oui, dès qu'elle rentrera, je lui dirai de vous appeler... Au bureau, c'est ça...

Sabine se leva et passa sous la douche.

— Il faut que tu le rappelles au bureau, dit André. Avant midi.

Elle se maquilla et s'habilla avec soin : blouse bariolée et pantalon aubergine. Son visage aux traits calmes exprimait moins la paix intérieure qu'une sorte d'indifférence. Comme si le choc d'hier l'eût réduite à l'insensibilité. André s'inquiétait de son air absent. Il était devant elle comme devant une convalescente qui se fût levée trop tôt. Ne présumait-elle pas de ses forces? Il ne voulait pas lui parler d'Aurelio. Et, de son côté, elle ne faisait aucune allusion à la visite de la veille. Un moment il se demanda s'il n'avait pas inventé cette misérable empoignade.

— Je vais voir William, dit-elle. Tu pourras t'occuper de Léon?

— Bien sûr. Quand rentres-tu?

— Dans une heure.

Il la regarda partir, avec une tendresse soucieuse. Si frêle dans son pantalon aubergine. La nuque droite. Les fesses moulées et hautes comme celles d'un garçon.

Elle ne rentra pas pour le déjeuner. Sûrement William l'avait retenue. « Elle aurait pu me prévenir, tout de même! » Il s'était remis au travail. Une aquarelle. Il devait la terminer coûte que coûte pour ce soir. Deux cents balles en jeu! A sept heures enfin, la clef dans la serrure.

— Comment va William? dit-il machinalement, tandis que Sabine lui posait un baiser sur la joue.

— Je ne l'ai pas vu, dit-elle.

— Où étais-tu, alors?

— Avec Aurelio.

André lâcha ses pinceaux, se leva de sa chaise, resta un moment muet, puis éclata :

— J'en étais sûr! Sûr, sûr!...

Elle voulut l'interrompre :

— André, écoute-moi!...

Mais il était lancé. Une rage désordonnée poussait les mots dans sa bouche :

— Ma pauvre Sabine! Tu ne vois donc pas qu'Aurelio ne t'aime pas, qu'il n'aime personne d'autre que lui, qu'il va s'amuser à détruire ce qu'il y a entre toi et William, et qu'après il repartira avec son Richter? Et moi, pendant tout le temps qu'il sera avec toi, à Paris, je me transformerai en nourrice, je recevrai les coups de téléphone de William douze fois par jour et je répondrai : « Elle fait des courses! »

Il grimaçait, mimant la scène.

— Eh bien! je ne marche pas! reprit-il. J'en ai jusque-là de tes coucheries et de tes volte-face!

— Tu vas m'écouter, oui? dit-elle en lui prenant la main.

Il se dégagea violemment :

— Merde!

— Bon, dit-elle. Mais d'abord laisse-moi te signaler que tu n'auras plus à répondre au téléphone à William. J'ai rendez-vous avec lui, tout à l'heure.

— Et alors?

— Je vais lui dire que je ne peux pas l'épouser.

Ce fut comme la chute d'un arbre en travers de la route. Il balbutia :

— Quoi?

— Oui, André. Je l'ai décidé, cette nuit. Et, si tu réfléchis un peu, tu finiras par me donner raison. Oublie ta jalousie pour Richter, oublie mon aventure avec William...

— Ma jalousie, ton aventure? Tu es complètement siphonée!

— Non. Rappelle-toi, après le départ d'Aurelio, tu trouvais normal qu'il n'écrive pas. Tu m'exhortais à la patience et à la fidélité. Pourquoi as-tu changé? Parce que Aurelio n'habite plus avec nous? Parce qu'il fait des affaires avec Richter? Mais cet homme lui a procuré une situation inespérée...

— Une situation dans son lit, oui, ricana André.

Elle hocha la tête d'un air de commisération et de science :

— André, tu dérailles. Il ne peut rien y avoir entre Aurelio et Richter. Pas plus qu'entre Aurelio et toi. Et cela pour une raison bien simple : Aurelio n'aime pas les hommes. Ce n'est pas dans sa nature. Il me l'a dit, je le sais. Alors tranquillise-toi. Laisse tomber tes suspicions et tes rancunes absurdes contre Richter. Aime Aurelio en ami, comme tu m'aimes moi. Puisque tu as de l'affection pour nous deux, tu devrais être heureux de savoir que nous nous sommes retrouvés et que nous allons partir ensemble.

— Comment ça, partir?

— Oui, dit-elle avec élan, je ne le quitterai plus maintenant. J'ai compris... Tu ne me connais pas : sans qu'Aurelio s'en rende compte, je le prendrai dans mes filets, je l'entortillerai, j'en ferai le père de mon petit Léon...

— Il n'y a pas si longtemps tu ne voulais pas que Léon ait de père!

— Aurelio a tellement changé! Cette situation, ce voyage lui ont fait un bien énorme!

— Alors, comme ça, tu vas le suivre aux Etats-Unis? dit André avec une désinvolture amère. A quand le départ?

— Dans quelques jours. Aurelio s'occupe du visa et des billets.

— Et Léon?

Elle prit son fils dans le berceau, le serra

contre sa poitrine avec emportement, le couvrit de baisers, le reposa parmi ses jouets et dit :

— Je te le laisserai pour commencer : le temps que nous nous installions là-bas. Puis je reviendrai le chercher. Et tu repartiras avec nous.

— Moi?

— Oui, toi. D'ici là, tu auras fait ces lithos qu'Aurelio t'a commandées. Promets-le-moi. Il le faut absolument! Aurelio m'a expliqué que, si tu l'écoutais, ta carrière là-bas serait sensationnelle! Tu vois comme il s'occupe de toi, comme il t'aime! Et toi, tu débites des horreurs sur son compte! Vraiment tu es injuste! Où est le chèque?

— Là, sur la cheminée. Tu peux le rapporter à Aurelio.

— Non, garde-le, je t'en supplie. D'ailleurs tu vas avoir besoin d'argent pour Léon, en notre absence.

Il eut un dernier sursaut :

— Sabine, tu es en train de te perdre... Enfin rappelle-toi ce qui s'est passé hier!... Ne m'as-tu pas demandé de te défendre contre Aurelio?... Et maintenant... maintenant tu ne peux plus te passer de lui!... Réponds, explique-toi!...

Sabine se taisait et le regardait droit dans les yeux, comme pour l'obliger à lire en elle ce qu'elle ne pouvait exprimer de vive voix. Elle étalait devant lui sa maladie. Avec impudeur. Et presque avec orgueil.

— Ne me dis pas que tu es heureuse! reprit-il.

— Je ne suis ni heureuse ni malheureuse. Je suis moi-même.

Il devina que rien ne pourrait la fléchir.

— Tu sais, dit-elle encore, je ne resterai là-bas que deux ou trois semaines. Et je ne ferai pas comme Aurelio : je t'écrirai souvent. Toi aussi, tu m'écriras, pour me donner des nouvelles de Léon. Et de toi! Et de tes lithos! Il faut qu'elles soient belles! Plus belles encore que les premières!

Sa voix vibrait d'enthousiasme. André sentit qu'une fois de plus tout se réglait à son insu. Sabine et Aurelio disposaient de lui selon leur fantaisie. Soit! Il ferait ces lithos, il garderait ce chèque, il s'occuperait de Léon, puisqu'elle le voulait. Et puis, quelle serait sa vie? Sabine allait partir. Dans quelques jours, il ne verrait plus ce visage de fillette inca, à la grande bouche, au nez bref, aux prunelles profondes et sombres. Il la scrutait intensément, jusqu'à graver dans sa rétine la tache violette du pantalon, la tache noire des yeux, les taches orange et blanches de la blouse. Ah! si son regard avait été une épingle pour la fixer au mur comme un papillon sur un carré de liège. Son désespoir lui donnait envie de vomir.

— Ne me quitte pas, dit-il soudain.

Elle lui posa la main sur l'épaule et le baisa à la tempe; puis sa bouche glissa insensiblement jusqu'à l'endroit où à la peau de la joue succède la peau plus douce des lèvres. Il accepta ce baiser léger comme un souffle.

— Mon petit André, murmura-t-elle. Fais-moi confiance. Toi, Aurelio et moi nous ne nous quitterons jamais.

Ils restèrent un moment immobiles, silencieux. Enfin Sabine dit :

— Il faut que je me sauve! Je suis en retard! William m'attend!

— Il va être très malheureux!

— Je sais.

— Tu ne rentres pas pour le dîner?

— Non.

— Et Aurelio vient ce soir?

— Il préfère rester à l'hôtel.

— Alors tu vas dormir là-bas?

— Oui.

Il tressaillit. Le supplice commençait. D'autres chocs, plus douloureux, allaient suivre — il le savait — dans les prochains jours. Dominant son chagrin, il demanda :

— Qu'est-ce que je donne à Léon, ce soir, comme bouillie?

Elle réfléchit :

— Comment ont été ses selles?

— Un peu molles.

— Donne-lui de la crème de riz, dit-elle.

10

Devant la fenêtre ouverte, séchait, en grand pavois, sur des ficelles, tout un assortiment de brassières, de culottes, de langes. L'épaisse chaleur de la ville entrait dans la pièce avec le bourdonnement lointain des voitures. André rêva un instant à Marie-Antoinette, telle que David l'avait vue, passant devant la maison, dans la charrette d'infamie, les mains liées derrière le dos, les cheveux coupés court sous son bonnet plissé, le profil dédaigneux et tragique. Assis dans son parc, parmi ses jouets, Léon tapait sur une boîte en carton avec une cuiller et babillait dans un langage connu de lui seul. Ce parc, quelle bénédiction! Depuis qu'André l'avait acheté, tout était simplifié dans sa vie. Il pouvait s'absenter sans trop de risques, en laissant le prisonnier derrière ses barreaux fragiles. Souvent même, Léon s'endormait dans l'enclos.

André descendit pour acheter des cigarettes et de la farine lactée et remonta en hâte : l'enfant jouait toujours avec sa boîte et sa cuiller. Planté devant lui, André se sentit envahi par la notion nauséeuse de sa solitude. De nouveau il pensa à Sabine. Pas une ligne depuis quinze jours. Jusque-là, elle lui écrivait régulièrement. Pourquoi ce brusque silence? D'après ses dernières lettres, elle paraissait se plaire, là-bas! Mais elle donnait peu de détails sur sa vie avec Aurelio. André s'efforçait en vain d'imaginer ce qu'était une journée de Sabine à New York. Il la voyait, menue, élégante, vulnérable, parmi des gratte-ciel écrasants. Une foule compacte l'entourait, la bousculait. Des affiches géantes. Les sirènes des voitures de police. Comme dans les films. Parlait-elle suffisamment l'anglais pour se faire comprendre? Trente-six jours déjà qu'elle était partie! Qu'était-elle allée foutre de l'autre côté de l'océan? Paris était si beau dans la chaude lumière de juillet! Sans doute allait-elle débarquer, un de ces quatre matins, sans crier gare, pour reprendre son fils et proposer à André de les accompagner, tous deux, aux Etats-Unis. Il n'avait dit ni oui ni non, lorsqu'elle lui avait parlé, naguère, de ce voyage. Aujourd'hui, il savait qu'il ne la suivrait pas. De quoi aurait-il l'air, là-bas, entre Aurelio et Sabine? Les temps avaient changé, les sentiments avaient évolué, le bonheur d'autrefois n'était plus possible. Partager Sabine avec Aurelio et Aurelio avec Richter, non! Tout s'embrouillait dans sa tête. Il avait l'impression d'être grimpé sur des échasses et de se déplacer, à grands pas maladroits, dans un marécage. Léon jeta son lapin en peluche par-dessus la barrière et pleura pour le ravoir. Machinalement André le lui rendit. Puis il alla chercher son carton à dessin et sa boîte d'aquarelle. Il avait commencé une maquette de litho dont il n'était pas mécontent. Un cheval à la crinière folle, cabré au-dessus d'un homme nu, à terre. C'était probablement la meilleure des quatre peintures qu'il avait déjà esquissées pour cette commande. La tristesse, le désarroi lui donnaient-ils du talent? Il recula la tête et plissa les yeux. Le cheval avait un regard de fureur amoureuse. L'homme paraissait heureux d'être piétiné. André revint avec son pinceau à l'effilochure nocturne de la crinière. Le téléphone sonna. Il abandonna son travail à regret. Pas moyen d'être tranquille dix minutes! A peine eut-il décroché l'appareil, qu'un éclair de joie l'éblouit :

— Sabine! Enfin! Il y a une éternité que je n'ai rien de toi! J'étais inquiet!

— Parle-moi de Léon, dit-elle.

— Il est superbe! Je l'ai là, près de moi. Il joue dans son parc. C'est fou ce que c'est pratique, ce machin-là! Allô... Allô, il a tellement changé en un mois que tu ne vas pas le reconnaître! Et toi, quelles nouvelles?

— Ça ne va pas très bien, André.

Il s'inquiéta :

— Tu es malade?

— Non.

— Alors quoi?

— C'est à cause d'Aurelio.

— Que lui est-il arrivé?

— Rien... enfin...

— Vous vous êtes encore disputés? demanda-t-il.

Elle fit entendre un soupir, hésita, puis dit :

— C'est plus grave que ça. Tu sais, pour Richter et Aurelio, tu avais raison...

Il ressentit une grande faiblesse, comparable à l'écœurement d'un malade tiré trop brusquement de sa somnolence. Tant que Sabine ne lui avait pas confirmé ses soupçons, il était libre de douter encore. Maintenant, à son corps défendant, il devait accepter l'évidence. Il murmura :

— Ah! Tu vois!...

— J'en ai eu la certitude, dès mon arrivée ici... Oh! André!... Quel salaud, ce Richter!... Il est riche à en crever!... La commande qu'il t'a passée, c'était pour mieux appâter Aurelio... Mais en réalité, tes lithos, maintenant, il s'en fout!... Il ne les vend même pas!... Elles moisissent dans un hall d'hôtel, je ne sais où. Alors, je t'en supplie, ne continue pas à travailler pour lui... Arrête-toi!... Et surtout, garde l'argent... On en a besoin pour Léon... Si tu voyais Aurelio ici!... C'est dégueulasse!... Il a complètement embobiné Richter qui gâtouille devant lui et lui donne tout le fric qu'il veut!...

André ferma les yeux. Sabine lui déversait une poubelle sur la tête. Il suffoquait de dépit, de dégoût sous l'avalanche. Aurelio avec une femme, cela ne l'atteignait pas, c'était, pour ainsi dire, dans l'ordre des choses. Mais avec un homme, avec cet Américain robuste et grisonnant... Non, il ne pouvait le supporter. En rouvrant les paupières, il fut surpris de ne pas les voir, là, l'un jeune, l'autre vieux, accolés devant lui, dans la lumière crue. Le téléphone. Le mur. Un tableau représentant un pâtre au chef bouclé sur un fond de ciel bleu. Des crayons plantés dans un verre. Et Sabine qui parlait toujours :

— Je te jure que je n'invente pas! Et Aurelio avait la prétention de me faire avaler ça! Tu me vois, moi, acceptant cette situation?...

Elle haletait de colère, à l'autre bout du fil. André s'efforça au calme. Après tout, elle ne lui apprenait rien qu'il n'eût, depuis longtemps, flairé. C'était la solution logique du problème.

— Quand rentres-tu? demanda-t-il.

Il y eut un silence. André entendait le souffle de Sabine dans son oreille, comme si elle n'eût pas été séparée de lui par l'immensité de l'océan; mais blottie, vulnérable et chaude, contre son épaule.

— Je ne sais pas encore, dit-elle enfin.

— Pourquoi pas maintenant? s'écria-t-il. Tu n'as plus rien à foutre dans ce pays de cinglés!

Elle rit tristement :

— Il n'y a pas que des cinglés, ici! J'ai fait la connaissance d'Américains charmants, à New York. Ils m'ont beaucoup aidée pendant ma séparation avec Aurelio. Maintenant ils m'invitent à partir avec eux en voiture pour faire toute la côte du Pacifique...

— Et, pour faire la côte du Pacifique en voiture avec je ne sais quels Américains, tu vas renoncer à Léon, à moi?

— Tu exagères! Je ne renonce pas à vous... Je rentrerai après...

— C'est-à-dire dans combien de temps?
— Dans un mois et demi, deux mois...
— Tu pourras te passer de ton fils pendant si longtemps?
— Il n'a pas besoin de moi, mon fils, pour l'instant. Il est si petit!... Il ne se rend pas compte...
— Je trouve ce voyage stupide! grommela André.
— Laisse-moi, dit Sabine. J'ai besoin de me changer les idées après ce que j'ai vécu.
— Bon. Mais où habites-tu maintenant?
— Seule, à l'hôtel.
— Comment fais-tu pour l'argent?
— Ne t'inquiète pas, dit-elle. Tout va bien de ce côté-là. Et toi, tu n'as besoin de rien?
— Non.
— Tu devrais faire venir le docteur pour Léon.
— Pourquoi?
— Une simple visite de contrôle; ce doit être bientôt le rappel des vaccins...
— Ah! oui, peut-être... J'ai oublié... Mais dis-moi, où pourrai-je t'écrire pendant ce voyage?
— C'est moi qui t'écrirai. Je te téléphonerai aussi. Très souvent. Si tu savais comme je suis contente de partir avec ces amis! Il paraît que la côte du Pacifique est merveilleuse. Pour y arriver, nous traverserons tous les Etats-Unis par le Nord. Et nous ferons un crochet pour passer par le parc de Yellowstone. Oui, là où il y a ces geysers extraordinaires et des bêtes sauvages en liberté...
André raccrocha l'appareil avec un senti-

ment complexe de délivrance et d'appauvrissement. Ainsi Sabine en avait fini avec Aurelio. Cette fois pour de bon. Il avait passé la mesure avec elle. Où était l'Aurelio d'autrefois, insolent, insouciant, moqueur, méchant et tendre tour à tour?... Il aimait trop l'argent, la puissance. Il avait tout sacrifié à la réussite. Avec l'âge, il finirait par ressembler à Richter. Mais non, Aurelio ne pouvait pas vieillir. Il avait l'éternelle jeunesse du diable. Soudain André l'évoqua, si précis, si présent, avec son visage maigre déchiré par un rire de chien, qu'une peur suave lui vint à ce souvenir. Quel cran il avait fallu à Sabine pour rompre! Comme il la comprenait, comme il l'admirait! Après tout, elle avait raison : ce voyage lui ferait le plus grand bien. Encore quelques semaines à attendre, et il la retrouverait guérie. Ils habiteraient ensemble, à nouveau. Et Léon entre eux deux. « Patience! Moi aussi, je finirai par oublier Aurelio! » Il regarda son aquarelle. Ce cheval cabré, cet homme à terre — absurde! Il prit la feuille et la déchira. Une tornade s'était abattue dans sa vie. Sentiments et souvenirs, tout était cul par-dessus tête. Il tournait dans la pièce, touchant les objets un à un, comme pour reprendre confiance dans la stabilité du monde extérieur.

Léon s'était endormi dans son parc, la face contre le sol, le derrière en l'air, les jambes repliées, à la manière d'un fœtus. C'était vrai qu'à son âge il n'avait pas besoin de sa mère.

11

Gérard, mort. Il allait falloir s'habituer à cette idée saugrenue. Quel vide soudain! Une crise cardiaque, en pleine nuit. La veille encore, il donnait des ordres sur un chantier. Claudia était inconsolable. Comme si elle n'avait pas quitté Gérard à six reprises, dans le passé. Tout à l'heure, au cimetière, on avait dû la soutenir, chancelante, au bord de la fosse. Il pleuvait à verse sur le cercueil. Un cercle de parapluies noirs abritait les vivants. Rien que des amis intimes. André n'avait même pas un manteau sur les épaules. Il était trempé. Sa chemise lui collait au dos. Il avait hâte de se sécher, de se changer. Irait-il mieux après? Sûrement pas. La blessure était trop profonde. Il montait l'escalier en soufflant, la main à la rampe. Gérard était pour lui le prince d'un monde d'élégance, d'équilibre et de science dédaigneuse. En le perdant, c'était comme s'il voyait se fermer à son nez la porte d'un musée. Marchant derrière le fourgon mortuaire, au cimetière, il avait pensé à tous les meubles, à tous les bibelots que Gérard avait collectionnés avec passion. Et cet amoureux des marqueteries précieuses finissait, comme tout un chacun, dans une caisse de bois vernis. Grotesque! Il se reprocha d'avoir délaissé Gérard, ces derniers temps. Depuis le règne d'Aurelio, il s'était détaché peu à peu de ses meilleurs amis. Il ne voyait même plus Coriandre, qui, parfois, au téléphone, se plaignait qu'il se fît si rare. A ce déjeuner, chez Gérard, un mois auparavant, il avait à peine ouvert la bouche. Peut-être Gérard en avait-il souffert? « Les jours passent, on court en tous sens, on néglige un être cher, on est content de savoir qu'il est là, qu'il existe, on se dit : « Je le verrai demain », on remet de semaine en semaine la visite, et on se retrouve devant un mort. »

En arrivant sur le palier du deuxième étage, il se rappela sa rencontre avec Aurelio qui descendait de l'appartement. Quelle joie, alors! Quel espoir insensé! Celui-là aussi était mort. Et Sabine qui voyageait au loin. De temps en temps, une carte postale. Follement heureuse. Pays sensationnel. Une beauté à vous couper le souffle. Il avançait, entouré de fantômes. Toutes ses raisons de vivre le lâchaient à la fois. Son seul compagnon de route, aujourd'hui, c'était Léon. Il s'arrêta pour reprendre sa respiration au troisième étage.

La pluie tambourinait sur la vitre de l'œil-de-bœuf. La concierge lui avait recommandé la fille d'une voisine pour promener l'enfant.

Au jour dit, la fille de la voisine ne s'était pas présentée. Partie pour les vacances, elle aussi, sans doute. Après tout, c'était préférable. Il aurait fallu la payer, et il ne restait plus grand-chose sur l'argent des lithos. Une immense lassitude s'était emparée d'André. Comme une perte de goût pour tous les fruits du monde. Il gravit les dernières marches avec ennui.

Tristesse d'ouvrir une porte en sachant exactement ce qu'on trouvera derrière! Les meubles à leur place. Et aucun des visages auxquels on a rêvé. Léon jouait dans son parc. Un chiot abandonné. Inconscient, heureux et le derrière sale. Le torcher, le rhabiller, le nourrir, le coucher... André le tenait dans ses bras et souffrait de ne pouvoir se faire comprendre de lui. Le regard plongé dans les grands yeux noirs de l'enfant, il interrogeait, en vain, une autre planète. Il posa Léon dans son berceau et arrangea ses couvertures. Si la pluie continuait, il aurait une excuse pour ne pas le sortir à son réveil. Il ne l'avait promené que deux ou trois fois depuis le départ de Sabine. Ce n'était pas assez. Mais il était si maladroit avec cette poussette! Chaque descente et chaque montée de trottoir posait un problème. Aux Tuileries, le bébé respirait des nuages de poussière, dans les rues, les gaz des tuyaux d'échappement. Après tout, il était aussi bien dans l'appartement, la fenêtre ouverte.

André referma la porte de l'atelier qui, maintenant, servait de chambre d'enfant, retira ses vêtements mouillés et revêtit la gandoura à broderies corail et or, cadeau de Gérard. Un frisson le parcourut. Gérard, Sabine, Aurelio, il les confondait tous dans une même buée funèbre. Il s'assit, accablé, sur le divan. Il était fatigué d'attendre Sabine. Pourquoi ne lui téléphonait-elle pas? Il lui arrivait d'hésiter à sortir, par crainte qu'elle ne l'appelât en son absence. D'ailleurs à quoi bon quitter la maison? Pour aller où? Le Paris du mois d'août était une cité morte. Le temps s'enlisait. André fumait cigarette sur cigarette. Ses toiles, pendues au mur, lui faisaient horreur. Il les décrocha, une à une, et les rangea dans le placard. Deux heures et demie. Déjeuner seul. Il n'avait pas faim. Rien dans le réfrigérateur. Il ouvrit une boîte de Blédine et se prépara une bouillie, comme pour Léon. Il avait pris goût à cette nourriture lactée, depuis quelque temps. C'était si vite fait! Une saveur d'enfance lui réjouit la bouche. Il avalait des nuages de sucre.

Quand il eut terminé, les heures à venir s'étalèrent devant lui tel un désert sans fin. A quoi employer cette longue vacance? Le mieux était encore de se laisser couler dans le sommeil. Profiter de ce que Léon dormait pour en faire autant. Il s'affala sur le divan et ferma les yeux. Oublier. Dénouer tous les liens. Partir à la dérive. Peut-être aurait-il dû tirer les rideaux? La lumière du jour traversait ses paupières. Trop paresseux pour se lever, il se contenta de tourner le dos à la fenêtre.

Les cris de Léon le réveillèrent. Déjà cinq heures. Il se mit debout à regret. Sa bouche était pâteuse. Il alluma une cigarette pour se décaper la langue. Tiens! il ne pleuvait plus. Rien ne s'opposait à ce qu'il sortît avec l'enfant. Il n'en avait pas le courage. Avec un sentiment de culpabilité, il le déposa dans son parc. On sonna à la porte. Deux coups. C'était la concierge qui apportait le courrier du soir.

— La voilà enfin, votre lettre d'Amérique! dit-elle. Et comment il va, le petit?

Quand elle fut partie, André décacheta l'enveloppe avec tant de hâte, qu'il déchira un coin de la feuille qu'elle contenait. Quelques lignes, au stylo-bille, sur un papier mince :

« Mon cher André,

« Ce petit mot pour te dire que tu peux m'écrire à l'adresse ci-dessus, à Oakland. Je me suis arrêtée là avec Bob Howard, laissant nos amis continuer leur route vers le sud. Bob est un garçon charmant. Il a ton âge. Il ne veut pas que je le quitte et il ne pourrait pas partir avec moi pour la France à cause de ses affaires. Il a une grosse entreprise de traitement de cuirs et peaux, à Oakland. Alors, voilà, je suis obligée de rester ici pour plus longtemps que je ne le pensais. C'est si important, c'est toute ma vie qui se joue! Je crois que, cette fois, j'ai rencontré l'homme que j'attendais sans le savoir. Quand tu le connaîtras, tu seras conquis. J'espère que cela ne t'ennuie pas de garder Léon encore quelque temps. Comment va-t-il? As-tu fait venir le docteur comme je te l'avais demandé?... »

Le reste de la lettre se perdit, pour André, dans le brouillard. Les genoux faibles, il s'assit dans un fauteuil et courba le dos. Agrippé aux barreaux du parc, Léon s'était dressé sur ses petites jambes torses et l'observait, en vacillant, les yeux ronds, la bouche ouverte. De longues minutes passèrent. Soudain, avec décision, André se dirigea vers le placard, en tira une valise et entassa dedans des brassières, des couches, des langes.

Bercé par le mouvement monotone du train, Léon devenait de plus en plus lourd dans les bras d'André. Sans doute dormirait-il ainsi jusqu'à l'arrivée. Soulagé, André regarda par la fenêtre courir ce triste paysage de banlieue aux maisons cubiques. Oui, oui, Léon serait très bien chez Coriandre. Elle s'en occuperait mieux que lui. Lorsque Sabine reviendrait... Mais quand reviendrait-elle? Dans six mois, dans un an, dans deux ans?... Demain André referait le voyage pour apporter à Savigny le reste des affaires du bébé, son berceau, sa poussette. Evidemment Léon lui manquerait, les premiers temps. Eh bien! il irait le voir aussi souvent qu'il le voudrait, chez sa sœur! Une envie de pleurer montait en lui comme une ondulation amère, gagnait sa tête, cherchait ses lèvres, ses yeux, et refluait douloureusement dans sa poitrine. Il resserra les bras autour du petit corps amolli de sommeil. Le train aborda une courbe à vive allure. Des arbres s'envolèrent, derrière la vitre. André se revit dans ce même wagon, avec un panier sur les genoux. Dans le panier, sa chatte Hilda, qu'il apportait à Coriandre.

ROMANS-TEXTE INTÉGRAL

ALLEY Robert
517* Le dernier tango à Paris

ARNOTHY Christine
343** Le jardin noir
368* Jouer à l'été
377** Aviva
431** Le cardinal prisonnier
511*** Un type merveilleux

ASHE Penelope
462** L'étrangère est arrivée nue

AURIOL Jacqueline
485** Vivre et voler

BARBIER Elisabeth
436** Ni le jour ni l'heure

BARBUSSE Henri
13*** Le feu

BARCLAY Florence L.
287** Le Rosaire

BAUM Vicki
566** Berlin Hôtel (janvier 1975)

BIBESCO Princesse
77* Katia
502** Catherine-Paris

BLIER Bertrand
543*** Les valseuses

BODIN Paul
332* Une jeune femme

BORY Jean-Louis
81** Mon village à l'heure allemande

BOULLE Pierre
530** Les oreilles de jungle

BRESSY Nicole
374* Sauvagine

BUCHARD Robert
393** 30 secondes sur New York

BUCK Pearl
29** Fils de dragon
127** Promesse

CARLISLE Helen Grace
513** Chair de ma chair

CARS Guy des
47** La brute
97** Le château de la juive
125** La tricheuse
173** L'impure
229** La corruptrice
246** La demoiselle d'Opéra
265** Les filles de joie
295** La dame du cirque
303** Cette étrange tendresse
322** La cathédrale de haine
331** L'officier sans nom
347** Les sept femmes
361** La maudite
376** L'habitude d'amour
Sang d'Afrique :
399** I. L'Africain
400** II. L'amoureuse
Le grand monde :
447** I. L'alliée
448** II. La trahison
492** La révoltée
516** Amour de ma vie
548**** Le faussaire

CASTILLO Michel del
105** Tanguy

CESBRON Gilbert
6** Chiens perdus sans collier
38* La tradition Fontquernie
65** Vous verrez le ciel ouvert
131** Il est plus tard que tu ne penses
365* Ce siècle appelle au secours
379** C'est Mozart qu'on assassine
454* L'homme seul
478** On croit rêver
565* Une sentinelle attend l'aurore (janvier 1975)

CHEVALLIER Gabriel
383*** Clochemerle-les-Bains

CLAVEL Bernard
290* Le tonnerre de Dieu
300* Le voyage du père
309** L'Espagnol
324* Malataverne
333** L'hercule sur la place

457* Le tambour du bief
474* Le massacre des innocents
499** L'espion aux yeux verts
522**** La maison des autres
523*** Celui qui voulait voir la mer
524*** Le cœur des vivants
525*** Les fruits de l'hiver

COLETTE
2* Le blé en herbe
68* La fin de Chéri
106* L'entrave
153* La naissance du jour

COTTE Jean-Louis
540**** Hosanna
560*** Les semailles du ciel

CRESSANGES Jeanne
363* La feuille de bétel (manquant)
387** La chambre interdite
409* La part du soleil

CURTIS Jean-Louis
312** La parade
320** Cygne sauvage
321** Un jeune couple
348* L'échelle de soie
366*** Les justes causes
413** Le thé sous les cyprès
514*** Les forêts de la nuit
534*** Les jeunes hommes
555** La quarantaine

DAUDET Alphonse
34* Tartarin de Tarascon
414* Tartarin sur les Alpes

DHOTEL André
61* Le pays où l'on n'arrive jamais

DICKEY James
531** Délivrance

FABRE Dominique
476** Un beau monstre

FAURE Lucie
341** L'autre personne
398* Les passions indécises
467** Le malheur fou

FLAUBERT Gustave
103** Madame Bovary

FLORIOT René
408** Les erreurs judiciaires
526** La vérité tient à un fil

FRANCE Claire
169* Les enfants qui s'aiment (janvier 1975)

GALLO Max
506**** Le cortège des vainqueurs
564* Un pas vers la mer (janvier 1975)

GENEVOIX Maurice
76* La dernière harde

GREENE Graham
4* Un Américain bien tranquille
55** L'agent secret

GROGAN Emmett
535**** Ringolevio

GROULT Flora
518* Maxime ou la déchirure

GUARESCHI Giovanni
1** Le petit monde de don Camillo
52* Don Camillo et ses ouailles
130* Don Camillo et Peppone
426** Don Camillo à Moscou
561* Don Camillo et les contestataires

HAEDRICH Marcel
536* Drame dans un miroir

HALL G. Holiday
550** L'homme de nulle part

HILTON James
99** Les horizons perdus

HURST Fanny
261*** Back Street

KIRST H.H.
31** 08/15. La révolte du caporal Asch
121** 08/15. Les étranges aventures de guerre de l'adjudant Asch
139** 08/15. Le lieutenant Asch dans la débâcle
188**** La fabrique des officiers
224** La nuit des généraux
304*** Kameraden
357*** Terminus camp 7
386** Il n'y a plus de patrie
482** Le droit du plus fort

KONSALIK Heinz
497**** Amours sur le Don
549**** Brûlant comme le vent des steppes

KOSINSKY Jerzy
270** L'oiseau bariolé

LABORDE Jean
421** L'héritage de violence

LANCELOT Michel
396** Je veux regarder Dieu en face
451** Campus

LENORMAND H.-R.
257* Une fille est une fille

LEVIN Ira
449** La couronne de cuivre

LEVIS MIREPOIX Duc de
43* Montségur, les cathares (manquant)

LOOS Anita
508* Les hommes préfèrent les blondes

LOWERY Bruce
165* La cicatrice

MALLET-JORIS Françoise
87** Les mensonges
301** La chambre rouge
311** L'Empire céleste
317** Les personnages
370** Lettre à moi-même

MALPASS Eric
340** Le matin est servi
380** Au clair de la lune, mon ami Gaylord

MARGUERITTE Victor
423** La garçonne

MARKANDAYA Kamala
117* Le riz et la mousson
435** Quelque secrète fureur
503** Possession

MAURIAC François
35* L'agneau
93* Galigaï
129* Préséances
425** Un adolescent d'autrefois

MAUROIS André
192* Les roses de septembre

McGERR Pat
527** Bonnes à tuer

MERREL Concordia
336** Le collier brisé
394** Etrange mariage

MIQUEL André
539* Le fils interrompu

MONNIER Thyde
Les Desmichels :
206* I. Grand-Cap
210** II. Le pain des pauvres
218** III. Nans le berger
222** IV. La demoiselle
231** V. Travaux
237** VI. Le figuier stérile

MORAVIA Alberto
115** La Ciociara
175** Les indifférents
298*** La belle Romaine
319** Le conformiste
334* Agostino
390** L'attention
403** Nouvelles romaines
422** L'ennui
479** Le mépris
498** L'automate

MORRIS Edita
141* Les fleurs d'Hiroshima

MORTON Anthony
352* Larmes pour le Baron
360* L'ombre du Baron
364* Le Baron voyage
367* Le Baron passe la Manche
371* Le Baron est prévenu
395* Le Baron est bon prince
411* Une sultane pour le Baron
420* Le Baron et le poignard
429* Une corde pour le Baron
437* Piège pour le Baron
450* Le Baron aux abois
456* Le Baron risque tout
460* Le Baron bouquine
469* Le Baron et le masque d'or
477* Le Baron riposte
494* Un solitaire pour le Baron
521* Le Baron et les œufs d'or

NATHANSON E.M.
308*** Douze salopards

NORD Pierre
378** Le 13ᵉ suicidé
428** Provocations à Prague
481** Le canal de las Americas

OLLIVIER Eric
391* Les Godelureaux

ORIEUX Jean
433* Petit sérail

PEREC Georges
259* Les choses

PEUCHMAURD Jacques
528** Le soleil de Palicorna

PEYREFITTE Roger
17** Les amitiés particulières
86* Mademoiselle de Murville
107** Les ambassades
325*** Les Juifs (manquant)
335*** Les Américains
405* Les amours singulières
416** Notre amour
430** Les clés de Saint Pierre
438** La fin des ambassades
455** Les fils de la lumière
473* La coloquinte
487** Manouche

PROUTEAU Gilbert
545** Le sexe des anges

RENARD Jules
11* Poil de carotte

ROBBE-GRILLET Alain
546* L'année dernière à Marienbad

ROBLES Emmanuel
9* Cela s'appelle l'aurore

SAGAN Françoise
461* Un peu de soleil dans l'eau froide
512* Un piano dans l'herbe
553* Des bleus à l'âme

SAINT-ALBAN Dominique
Noële aux Quatre Vents :
441** I. Les Quatre Vents
442** II. Noële autour du monde
443** III. Les chemins de Hongrie
444** IV. Concerto pour la main gauche
445** V. L'enfant des Quatre Vents
446** VI. L'amour aux Quatre Vents
483** Le roman d'amour des grandes égéries

SALMINEN Sally
263*** Katrina

SEGAL Erich
412* Love Story

SELINKO A. M.
489** J'étais une jeune fille laide

SIMON Pierre-Henri
82** Les raisins verts

SMITH Wilbur A.
326** Le dernier train du Katanga

TROYAT Henri
10* La neige en deuil
La lumière des justes :
272** I. Les compagnons du coquelicot
274** II. La Barynia
276** III. La gloire des vaincus
278** IV. Les dames de Sibérie
280** V. Sophie ou la fin des combats
323* Le geste d'Eve
Les Eygletière :
344** I. Les Eygletière
345** II. La faim des lionceaux
346** III. La malandre
Les héritiers de l'avenir :
464** I. Le cahier
465** II. Cent un coups de canon
466** III. L'éléphant blanc
488** Les ailes du diable
559** La pierre, la feuille et les ciseaux

URIS Léon
143**** Exodus

VEILLOT Claude
472** 100 000 dollars au soleil

VIALAR Paul
57** L'éperon d'argent
299** Le bon Dieu sans confession
337** L'homme de chasse
350** Cinq hommes de ce monde T. I (manquant)
351** Cinq hommes de ce monde T. II (manquant)
372** La cravache d'or
402** Les invités de la chasse
417* La maison sous la mer
452** Safari-vérité
501** Mon seul amour

VILALLONGA José-Luis de
493* Fiesta
507** Allegro barbaro
554* L'homme de sang

WEBB Mary
63** La renarde

XAVIERE
538* La punition
544* Ô gué vive la rose

XENAKIS Françoise
491* Moi, j'aime pas la mer

ÉDITIONS J'AI LU
31, rue de Tournon, 75006-Paris

Exclusivité de vente en librairie:
FLAMMARION

« Composition réalisée en ordinateur par INFORMATYPE SERVICE »

IMPRIMÉ EN FRANCE PAR BRODARD ET TAUPIN
6, place d'Alleray - Paris.
Usine de La Flèche, le 05-11-1974.
6655-5 - Dépôt légal 4e trimestre 1974.